3000 800053 73498
St. Louis Community College

NARRADORES CONTEMPORÁNEOS

JOAQUÍN MORTIZ • MÉXICO

RUY XOCONOSTLE WAYE

Pixie en los suburbios

novela

COLECCIÓN: Narradores contemporáneos

Ilustraciones de portada e interiores: Abraham Morales
Diseño de colección: Jorge Evia Loya
Fotografía del autor: Roberto Sánchez

Editorial Planeta Mexicana, S.A. de C.V.
Avenida Insurgentes Sur núm. 1898, piso 11
Colonia Florida, 01030 México, D.F.

Primera edición: septiembre del 2001
ISBN: 968-27-0823-0

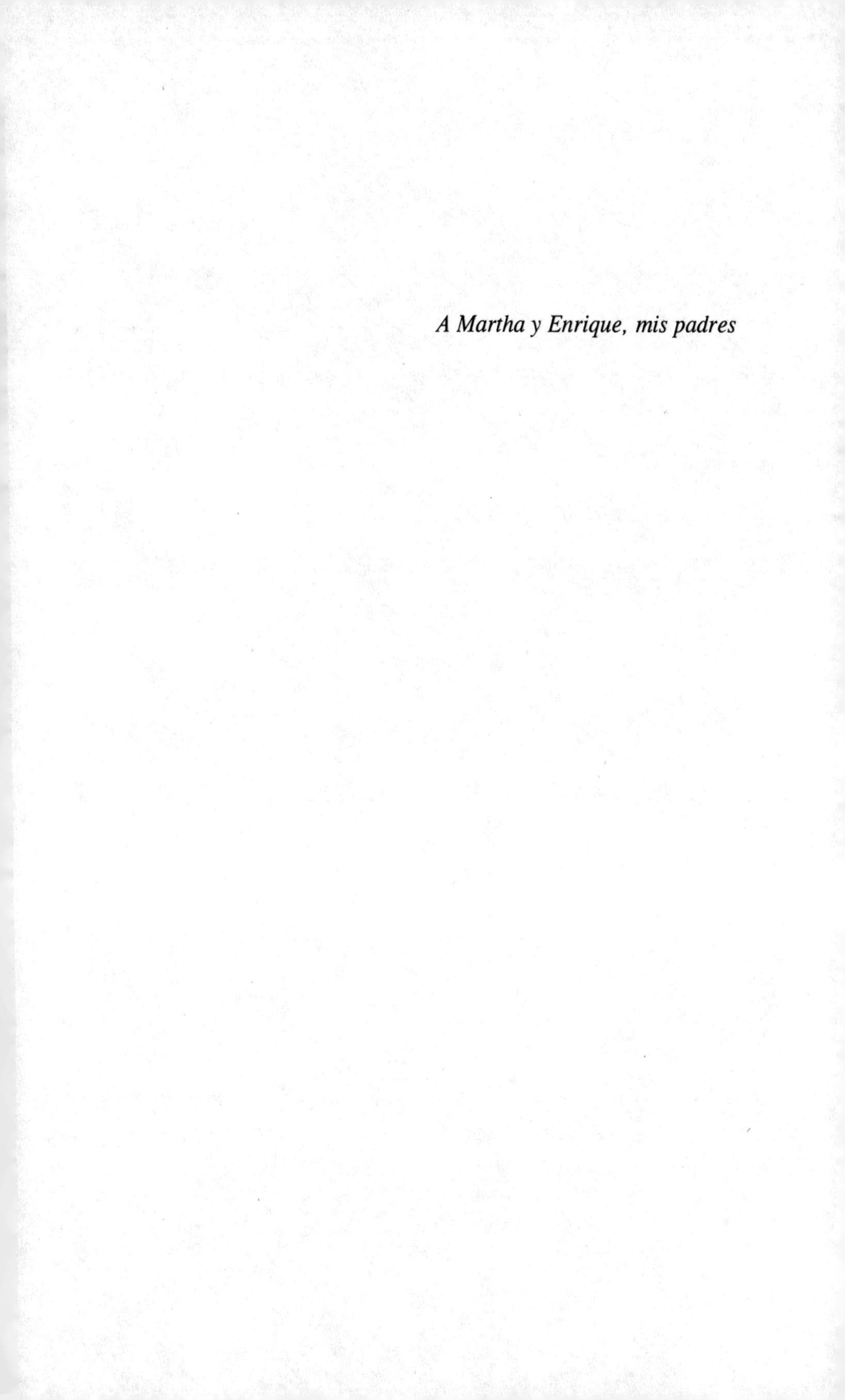

A Martha y Enrique, mis padres

Entonces, el hijo huirá de la familia no a los dieciocho años, sino a los doce, emancipado por su precocidad glotona; huirá de ella, no para liberar a una beldad prisionera en una torre, no para inmortalizar una zahúrda con pensamientos sublimes, sino para fundar un comercio, para enriquecerse, y para competir con su infame papá.

CHARLES BAUDELAIRE,
Mi corazón al desnudo

DRAMATIS PERSONÆ

CUKI; el narrador
MIDYET; su esposa
MADRE; su madre
PADRE; su padre
CLAVIUS; su hermano mayor
MARPIS; su hermana mayor
KAREN DIFUSA; su hermana menor
ALO; su hermano menor
COLE; su sobrino
JEFE; su jefe
JACKIE; su asistente
NAOMI; su peluquero
PIFAS; su perro
PIXIE; hermana de Midyet
JOSELÍN; amigo de Clavius
OBE SAN ROMÁN; amigo de Clavius
DANILO; esposo de Marpis
Los vecinos del Melrose Place: la SRA. MARY LEE y el SR. MARY LEE; los esposos fotógrafos; fósil que vive junto a la reja; HISTER, viejecillo retirado, esposo de la GORDA CASERA; la pareja normal de al lado
COLE; amigo de Pixie
PIMP; amigo de Pixie
EL CENADOR; padre de Pixie y Midyet
PUTREFOY; compañero del Ágora del Cáncer
PRIMO PERFECTO; primo carnal de Pixie y Midyet
ESPOSO CHISTOSO y MONGÓLICA MUJER; primos políticos de Pixie y Midyet
MOD; amante de Pixie
HANK; amante de Midyet
SEÑOR AMIGOS CAGANTES y SEÑORA AMIGOS CAGANTES; matrimonio de amigos de Midyet
GERTRUDE; esposa del jefe
PANTOLIANO; antiguo amigo de la universidad

Gerente del supermercado; antigua amiga de Karen Difusa; Quentin Tarantino; guía de turistas; Tom Waits; Mark Hamill; Philip Seymour Hoffman; extraña aparición bíblica; veco que se mete a dormir al departamento; agentes de Asterisconovecientosonce; amigos cagantes de Amigos Cagantes; Sra. de Wong; Gurlia, la del departamento de publicidad; la Nena Rowland, antigua conocida de la universidad; gorilas de seguridad del Fraccionamiento Bosque Encantado; Odish, la planta; meseros; robots.

ESCENA: Ramos Arizpe, Saltillo y Monclova, Coahuila.

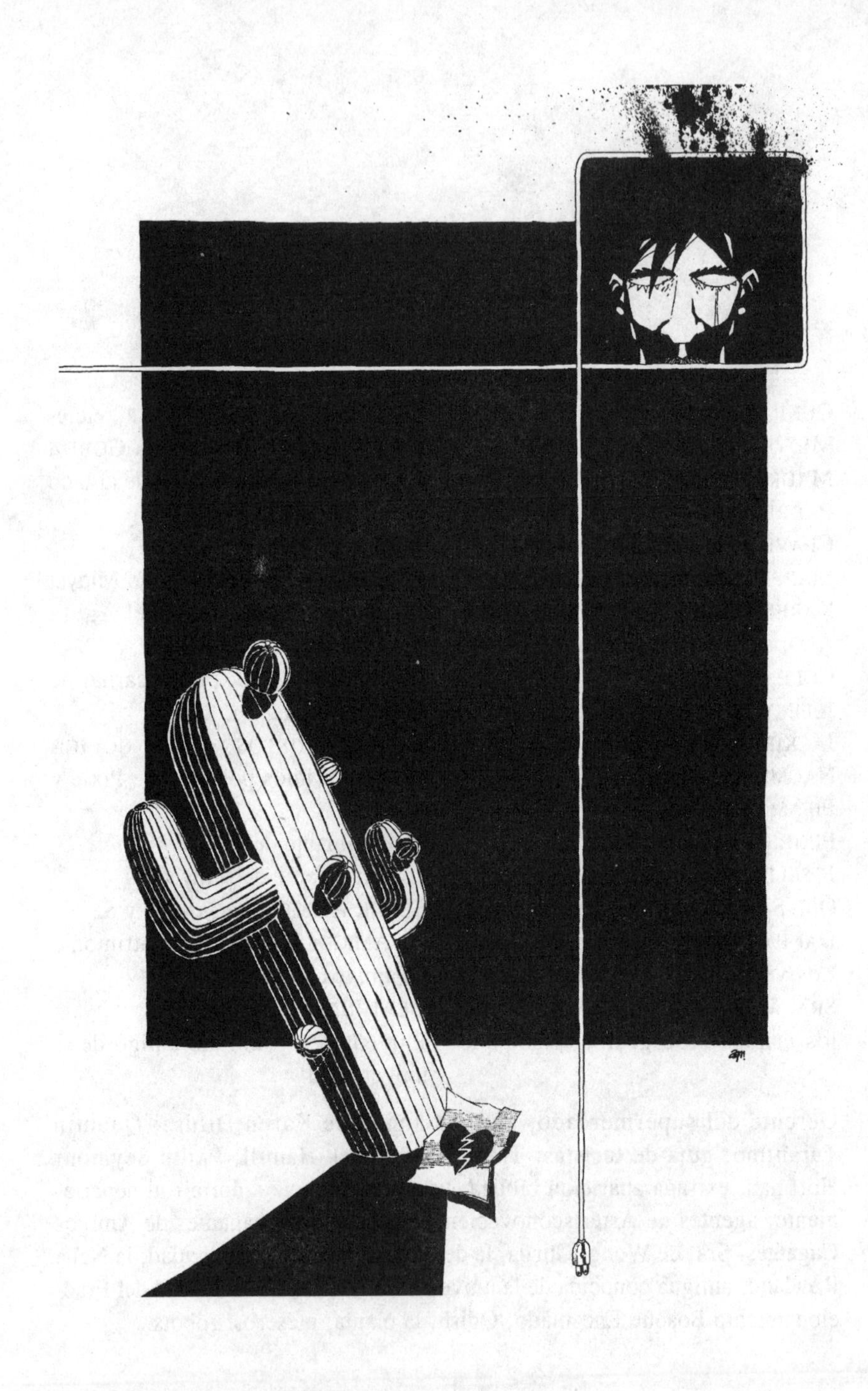

UNO

Si llego a ser vicepresidente de la compañía antes de los treinta, voy a proponer que no se permita la contratación de hombres y mujeres casados, ya sea por bienes separados o mancomunados. Soy un hombre interesado en tecnicismos, pero no en *esos* tecnicismos.

Bien, bien, mi caso: no sé por qué demonios me casé. Si ahora me lo cuestionan, diría "no lo sé". Lo xodido del asunto es que ésa es la respuesta que doy a muchas de las preguntas que me hago últimamente. Es como andar dándole vueltas a lo mismo una y otra vez. A veces me pasa que estoy dice y dice y dice y dice lo mismo —no sé si a ustedes les suceda algo similar, y en ese caso los compadezco—, la misma frase, la misma expresión pendeja, la misma palabrilla, la misma vulgaridad todo el pinche día (como no poder detener tu mente de decir panocha una y otra vez. Panocha y panocha y panocha. Y panocha. Y ni siquiera piensas en una jugosa panocha peluda y olorosa, sólo en la palabra panocha. Panocha. Tres sílabas. Origen desconocido. Pero ahí está. Pa.No.Cha). Incluso sueño con la frase o palabra o vulgaridad. Me persigue en mi sueño. ¡Ahh! Y con esto del "no lo sé" pasa así, pero de una forma consciente. Me preguntan algo y milagrosamente surge el "no lo sé". Imaginen que alguien me dice "¿cuántos años tienes?", y yo paroleo, automáticamente, "no lo sé"; mierda, allá viene el "no lo sé" barriéndose en primera en segunda en tercera (nunca en home); de nuevo surge el "no lo sé", carcomiéndome las sienes. Otro "no lo sé". Y otro. Casi diría que somos la Generación Del No Lo Sé.

¿Por qué me casé? No lo sé.

Hace unos meses habría dicho que el matrimonio es una de las instituciones más peligrosamente inútiles y huecas que se han creado. Diría que sólo trae amargura y conflicto y resentimiento. Pondría mi ejemplo. Les habría hablado de cómo me llevó a la ruina. ¿Por qué te casaste?, se preguntan. De nuevo, no lo sé.

Afortunadamente, ahora no pienso igual. Hay gente que es feliz casada. Ése no es tampoco el punto, pues no voy a simplificar la cuestión asegurando que el matrimonio no es para mí. No. El matrimonio *podría* ser para mí, es sólo que *me tocó* un mal matrimonio. Hay gente que tiene buenos matrimonios. Yo tuve un mal matrimonio. Todo indicaba lo contrario, pero, ¿saben algo?, la vida es poco seria en sus cosas.

Claro que tampoco quiero decir que haya cambiado mi opinión en cuanto a la cuestión de contratar empleados casados. El rendimiento de un hombre felizmente desposado es mediocre. Nada que ver con el de un workaholic en sus veintes medios, soltero, sin ningún compromiso más que sus obsesiones y fetichismos personales, amargado o a punto de amargarse, lleno de energía. Ése es el tipo de soldado que la corporación necesita. Ahora bien: ¿cuánto puede durar un cheloveco en semejante estado antes de caer en una crisis nerviosa? Bueno, esto es lo hermoso de mi trabajo: los cambiamos por nuevos vecos, tiernos y jóvenes, dispuestos a amargarse y terminar con un aneurisma por una puta compañía que le acabará dando una patada en el fondillo. Créanme: ese sujeto estúpido, trilingüe, hiperinformado, emprendedor, altivo, vivaz y energético, existe.

Le llamamos recién graduado.

Yo fui uno, y realmente ya no lo soy. Lo repito: fui uno y ya no lo soy. Ahora me considero un sobreviviente. Mi existencia ahora tiene un poco de sentido. Hasta los veintitantos viví una vida relativamente estúpida. Podría decir que dediqué las primeras dos décadas que pasé en el mundo a estar frente a una consola de videojuegos y un fido. Lo demás que hice carece de interés —comer, cagar, dormir—. Por desgracia, pasaba demasiado tiempo con madre. Así, pueden suponer que me sentí vivo cuando conseguí matricularme en la universidad.

Si lo suponen, están en lo correcto.

Estudié una carrera bastante estúpida. Hice algunos amigos —a quienes casi no veo, por cierto—, aprendí, quizá, un par de cosas... bebí demasiada cerveza. Lo que hice durante la carrera tampoco es muy interesante de relatar —comer, cagar, dormir—, de no ser porque en mi año de sofmor aparecieron las primeras consolas de treinta y dos bits y algunos botones más en los controles (y ya eran ergonómicos... buuuuuu, una gran palabra, venga de ahí con comillas: "ergonomía", otro orgasmo sintáctico): además del pad, un botón ye, uno equis, uno erre, uno ele y los clásicos a y be. Ah, y después comenzaron a vender controles vibratorios (veinticuatro dólares con noventa y siete centavos). Diría que eso fue lo más relevante que me pasó.

Estoy exagerando un poco. Olviden la mitad de lo que he dicho (soy un tipo voluble, y casi no sé nada; a lo mejor de ahí viene el "no lo sé"). Realmente la carrera no era tan estúpida, ni frecuento poco a los amigos que ahí hice. A la mayoría los sigo viendo y mi educación universitaria fue de primera (hey, pendejo de mierda, que las clases hayan sido de primera no quiere decir que no fueran estúpidas... vale, lo acepto). Como valor añadido, me gradué como el *top of the class*. En lo que no exageré fue en el *verdadero* valor de estudiar... probablemente haya gente, no digamos de mi generación, sino de mi misma edad, que hallara útil estudiar. Yo no. No quiero decir que me aburriera —cosa que me cuesta bastante trabajo, por lo que más tarde comprenderán mejor mi inmunda situación—, sino que estudiar es demasiado obvio. Esto les puede decir, en principio, que yo no buscaba que las cosas salieran de la mejor forma posible. No es una actitud mediocre, es sólo que no lo quería, y muchos no entienden eso. ¿Por qué hay que estudiar? Porque sólo así puedes llegar a ser alguien. ¿Por qué quiero ser alguien? Porque eso es lo correcto. ¿Por qué debo hacer lo correcto? Porque si no le darás un mal ejemplo a tus hijos (a eso derivó exactamente una discusión que tuve en casa de Amigos Cagantes cuando anuncié que me iba a poner un tatuaje. Ya hablaremos de eso en su momento). ¿Por qué debo querer lo que todos quieren, ese mierda estado de bienestar social? Y allá va el Big Brother, con su vozarrón de Mago de Oz, a responder desde la cima de La Gran Moral Que Todos Compartimos: "¿Por qué no?"

Sí sí, hay que hacerse objetivos. La cantidad idónea es tres. Menos equivale a autocomplacencia, y más a glotonería.

"¿Cuáles son tus objetivos en la vida, tus tres objetivos?", me preguntó el otro día, en una fiesta, un veco al que nunca había visto. ¿Habían escuchado una pregunta más pendeja?

Al salir de la uni, tenía dos "objetivos" (añádanle comillas dobles a una palabra de mierda y súbitamente se convertirá en una ironía) por delante: conseguir una beca para estudiar una maestría u obtener un empleo. No podía cumplir ambos "objetivos", sólo uno a la vez. El primero me haría un raquítico huevón escolapio condenado al pupitre *ad infinitum*. El segundo, un lacayo corporativo alineado y autodestructivo. Lo último me llamó más la atención. Y a muchos de mis compañeros de generación también. Varios de ellos encontraron trabajo al terminar la carrera; otros no. La mayoría metió aplicaciones de empleo en los lugares de costumbre: estaciones de radio, canales del fido, revistas, periódicos, agencias de publicidad. Para ciertos vecos pasaron algunas semanas; para otros, un par de meses, otro par... nada. Sé de casos que hoy, a un lustro de la graduación, trabajan en lo que pueden. ¿Cómo puede pasar eso en México, nuestro México, nuestro Gran México? Déjenme decirles algo sobre este país: somos la nación de Primer Mundo más curiosa que existe. Tenemos la única franquicia latinoamericana de la NFL pero ningún jugador nacional en sus filas. Somos dueños de las instalaciones sanitarias más grandes del continente, pero los vecos se mueren de frío en las calles. También poseemos algunas de las mejores universidades del mundo, pero a la vez disponemos de miles y miles de contadores y abogados y veterinarios acomodando cintas de VHS en estanterías de Blockbuster, preparando Whoppers y lavando autos afuera de un Target.

(Target, por cierto, es una mierda. Han pasado setenta y cuatro horas desde que metí mi formulario para la H. Tarjeta de Cliente Frecuente y no me ha llegado una xodida respuesta, aun cuando sé que mis credenciales son impecables.)

En mi caso, recibí media docena de propuestas de empleo al otro día de graduarme. La cosa funciona así cuando funciona bien desde el principio: si eres el *top of the class*, como les mencionaba, te inundarán con promesas y te sacudirán una gorda chequera frente a la cara, de la misma manera que le zangoloteas la pinga a una ramera después de que te acaba de exprimir la última gota de semen. Yo no lo buscaba y me lo dieron. Y lo tomé. ¿Fue un error? No lo sé. Lo que es cierto es que a los veintitrés años ganaba seis veces más que lo que llegó a ganar padre en su mejor puesto y tenía más responsabilidades que el xodido deán del campus. Entiendan esto, y grábenselo muy bien: aún no aprendía a limpiarme las nalgas y ya estaba en un puesto de responsabilidad, dándole órdenes a dos decenas de vecos más viejos que yo. ¿Cómo se siente alguien que ha estado jugando al pendejo estudiantillo de mierda por cinco años cuando le dan un Ford nuevo, una tarjeta American Express corporativa, una oficina con muebles importados que puedes acomodar como un quarter, sacar tu patineta y ponerte todo el día a dar de brincos a la Tony Hawk sin que nadie te moleste?

Tenía veintitrés años. El empleo ni siquiera era cerca de casa o del campus. En cuestión de semana y media me vi en Ramos Arizpe, Coahuila. El lugar más frío y lejano del mundo. Bueno, así lo ves cuando tienes veintitrés años.

Pude haberme consolado pensando que al fin me había emancipado de madre, que no tendría que despertarme con la letanía de humillación que todos los desempleados del mundo tienen que soportar, ya sea de su cónyuge o de sus progenitores, y que siempre comienza al son de "¡huevón de mierda!" De la misma forma, iba a evitar los sábados con padre en el country, los horrendos sábados de horrendo golf, los horrendos sábados rodeado de pegacanicas chistines de chalecos Chemise Lacoste y caquis Nautica y spikes Nike y pelotas Titlest y maderas de titanio Taylor Made y caddiebar y un Black Label tras otro y pendejas conversaciones en torno a... nada. Nada interesante. Ya no tenía que sacar el tema de madre en el hoyo diecisiete ("dale dinero, padre"), ni soplarme horas y horas de mentiras y agujeros pastosos en el suelo (esos que los golfistas llaman "divots", y los mortales como yo "panochas"... ese hoyuelo es el "objetivo" de todo pegacanica).

Podía respirar aliviado pues iba a evitar tantas cosas... claro que, al entrar en la amplia oficina en el piso ciento catorce después de tres horas y media de explicaciones y presentaciones, me sentí totalmente cogido. Tómala puto, *straight in the asshole*. ¡Auch! Cómo duele que te cojan por primera vez. Cómo duele el recto. Alguien, Jackie, posiblemente, cerró la puerta tras de sí y hasta ese instante me vi a mí mismo, solo, y con un gran dolor anal, frente a una ventana desde donde podía observarse el espantoso paisaje de Ramos, con una gran computadora de escritorio, una pequeña laptop a un lado, unos ocho muebles de cedro blanco, un sillón italiano de piel y un sensual ronroneo, el del aire acondicionado, manteniendo mi impecable corte de pelo y mi impecable traje Valentino azul naval y mi impecable corbata de Claiborne en su lugar.

(Mi reloj era un Swatch, por cierto. Luego lo cambiaría por un Tag Heuer. Y me vale verga que me digan que los Tag son una mierda. No lo son.)

En ese momento, curiosas paradojas, envidié a aquellos chelovecos que viven el dorado momento en el que se dan cuenta de que tienen treinta y cinco años de edad y están en piyama, despeinados, descalzados y con un aliento de mierda frente al fido un miércoles a las once de la mañana. Y no pocos miércoles, sino cientos, miles. Yo tenía veintitrés años y estaba en una oficina gigantesca en uno de los pisos más altos de una de las corporaciones más grandes del país. Y no estaba limpiándola, ni sacando los ceniceros, ni aspirando.

Envidié estar despeinado, en piyama y descalzado frente al fido viendo cómo un homosexual preparaba huevos motuleños en el canal 128. Quise dedicarme a entregar paquetes en el área de Irving, cerca de Naucalpan, pasar todo el día sentado en un coche o en una camioneta de tres y media toneladas, manejar a ciento diez millas por hora en el Lyndon B. Johnson, volar en un Chevrolet, contar los anuncios de neón, detenerme a mear en el Hilton de San Bartolo, punketear a las viejecillas que manejan sus Blazers llenas de bolsas del *grocery*, abriendo y cerrando las ventanillas eléctricas o xodiendo con el clima del Chevrolet, girando sin parar la perilla del radio, imaginar que cogía con una puta de esas de veinticinco dólares de Petey's, robar chocorroles del Seven Eleven de la 42°, vociferar contra las hermosas negraspedazosdeparaíso de Irving, imaginando que lamía sus enormes culos, sus relucientes bembas, sus tetas desbordantes, sus morados pezones, y beber cerveza Miller High Life, perder el tiempo con Joey Brocoli, el del Burger King de Las Lomas Verdes. O por lo menos jugar *Metal Gear Solid* en mi añejo PlayStation.

Respiro.

Traté de tomar las cosas con calma. El primer secreto para no perder los nervios es tomar las cosas con calma. Ommmmmm. El segundo secreto es masturbarse viendo a Britney Spears en el Top 10 de MTV. Ok. El tercer secreto es hacerse de una rutina. Venga, me despierto a las cinco y media, me baño, me arreglo, me visto, me desayuno el pene y por la noche me vuelve a crecer (*here comes Johnny!*). Llego a la empresa y no hay nadie más que Jackie y yo. Me encierro en la oficina. Llamo a Jackie por el interfón. Le pido un café. Al salir, pierdo unos cincuenta segundos imaginando que me mama la verga hasta dejarme seco. Respondo correos, no sé, durante una hora, hora y media. Salgo a fumar al Ágora del Cáncer. Veo a Putrefoy, de Recursos Humanos, quien siempre va a chuparse sus dos Vantage de las diez de la mañana, pitillos de maricón, y platicamos del Monday Night Football, de la NBA, de la MLB, de la NHL, de los Rams y de la madriza que le metieron al equipo local (alguna de las putizas que le deben de meter por lo menos dos veces al año). Termino de fumar y regreso. Cuatro Breath Assure. Una lavada de dientes. Un chicle. Las Breath Assure hacen efecto: es hora de cagar (el perejil es tremendo). Regresar a responder e-mails, los que ya me han contestado para entonces. A lo mejor abrir la puta hoja de cálculo y ver con qué xodencias me entretendré ahora. Recibir a uno de los creativos y discutir ideas para la campaña del nuevo proyecto. A la una, tomar la llamada de La Gran Pendeja Secretaria del Pendejo Mayor Que Gana Dieciséis Veces Más Que Yo y subir al Consejo Jedi en el piso ciento cincuenta y cinco a ver cómo, a ver cómo... arreglan el mundo. La junta se acaba a las tres, ir a comer, con buena suerte solo en una tortería que está en uno de los mismos pisos de la torre y luego salir a comprar revistas que nunca leeré; con mala suerte, se pega alguno de los pendejos relamidos de la junta del Consejo Jedi o algún estúpido de los departamentos aledaños que ni sé cómo se llama. De regreso, unos correos más, cerrar, silenciosamente abandonar el lugar, ir a casa a dormir, masturbarme con mi colección de películas de Drew Barrymore, cagar de nuevo, exprimirme barros, jugar PlayStation un par de horas y a las nueve, o diez de la noche, regresar a la oficina y adelantar los proyectos hasta la una o dos de la mañana.

Mis fines de semana eran ligeramente más entretenidos. Decidí no trabajar ni sábado ni domingo. Evidentemente, no tuve que avisarle a nadie de la decisión, a nadie más que a Jackie, mi asistente, para que en el extremo y pendejo caso de que algún VP necesitara hablar conmigo durante el fin me encontrara en mi lindo teléfono móvil que tiene capacidad para mil quinientas entradas acceso a la web y al informe vial del radio y a mis doce cuentas de e-mail biper pila ultradelgada de litio que dura en stand by hasta ciento doce días manoslibres y localizador GPS en caso de que todo lo demás falle.

Vuelvo al fin de semana. Con tanto trabajo de lunes a viernes, es evidente que podía perderme (en el sentido de san Agustín) en el ocio del sábado-domingo. Por eso, la clave (de nuevo) es armarse una rutina. Una rutina menos cuadrada o, si quieren, menos rutinaria, pero a fin de cuentas una rutina. Pero no se preocupen, no voy a cansarlos de nuevo con los detalles.

Me gustaba subirme a un tren e ir a conocer pueblos que están cerca de Ramos. Verán, Ramos Arizpe es un lugar espantoso; imaginen Bosnia-Herzegovina, pero recién bombardeada. Siempre hace mucho frío o mucho calor. La mitad es industrial y la mitad corporativa. Está cabronamente contaminado. Y ahí vive la gente. Yo no, por suerte, pero más tarde les hablaré de Saltillo.

Qué mejor, pues, que salir a pueblear los fines de semana.

A decir verdad, Ramos Arizpe está rodeado por puro, puro desierto. Y algunos pueblos. Son una mierda, claro. Son como de película del oeste. Una sola calle y varias casillas de dos pisos a los costados. Y es todo: siguiente pueblo.

¿Y la diversión?

Bueno, para empezar, el tren. Les estoy hablando de una máquina de cientos de toneladas de peso que funcionaba cuando Porfirio Díaz caminaba en la faz de la Tierra, pero recién ajustada, afinada, pulida, lavada y pintada. El carro comedor era una maravilla, algo así como Art Decó... bueno, no lo sé (soy pendejo para esas cosas), pero era una cosa de lindos. Así es que me pedía un rickshaw desde la casa y me iba a la estación de trenes y agarraba patín hasta donde fuera. A veces ni me fijaba qué boleto y para qué destino compraba.

(Una vez amanecí en Magdalena, Sonora, y me cagué del susto.)

En lo que sí ponía mucha atención era en el equipamiento que cargaba. Verán, creo que somos parte de una generación de mierda, y si algo nos define es la obsesión por la tecnología. Somos la Generación Tecnofetichista. Nos fascina la tecnología en miniatura. Mientras más pequeño, mejor. Somos la Generación Minitecnofetichista. Y si tiene más mierdas encima, excelente. Si un solo aparato es capaz de realizar docenas de funciones para las que no fue pensado en un principio, maravilloso. Somos la Generación Multimediaminitecnofetichista De Mierda. Podríamos ver cintas de VHS en una VCR y hacer llamadas por un teléfono, pero estamos obsesionados por lograr que las cosas funcionen al revés, es decir, hacer llamadas por la VCR y ver pelis por el teléfono.

Ajá.

Me cargaba mi omnipresente teléfono móvil, un radio de onda corta, una laptop IBM con cientos y cientos de megas en RAM y un par de procesadores más rápidos que cualquier guepardo del Discovery Channel, una pequeña quemadora de discos HP no más grande que una rebanada de pan Bimbo, una impresora plegable que cabe en el bolsillo de mi camisa, un poco de papel (no hacía mucho bulto), Palm Pilot con pantalla de cristal líquido que soporta varios millones de colores, expandible a 128 MB y con una memoria caché de miedo, reloj Swatch con sistema posicionador global, cámara de foto fija digital Sony Cybershot con Memory Stick de 528 MB y resolución de 33 megapixeles, enfoque automático y pila de níquel-cadmio Stamina (una mierda, debo decirlo), Game Boy compatible con discos y habilitado con un emulador capaz de soportar títulos de Sony, Nintendo, Sega y Microsoft, así como otros objetos menos importantes, como ropa, dinero, tarjetas de crédito, cigarros, lentes oscuros y encendedor.

Me frustraba pensar que ninguno de mis aparatejos multimedia servía también como encendedor. Me quedaba horas mirando la flama, tan primitiva junto al bello montón de silicio y plástico que amontonaba en mi mochila, una llama tan pulida, tan perfecta, tan pulcra...

Compraba un camarotillo en el que podía montarme todo mi teatrito. Ponía un disco, algo de Smashing Pumpkins o Iggy Pop o Pixies o el soundtrack de *Trainspotting* o el soundtrack de *Pulp Fiction* o el soundtrack de *Almost Famous*. Somos la Generación del Soundtrack. Me ponía a ver el desierto por la ventana. El desierto azul en la mañana. El desierto rojo en la tarde. El desierto púrpura en la noche. Mandaba correos. Me metía a los anuncios personales de Yahoo! y trataba de hacer amistad o empezar un amor cibernético con alguna ptitsa de Massachusetts; bajaba MP3, los quemaba, los tocaba, bajaba y leía noticias. En cierto momento, abría la ventana y tomaba algunas fotos, las bajaba a mi máquina o las quemaba, las subía a la red a una pendeja página de Xoom, bajaba por enésima vez la escena del bullet-time de *The Matrix,* me ponía a jugar con mi Game Boy, bajaba chitcodes de alguna web y subía los que yo me sabía.

(Todo tiene que ver con bajar y subir. Somos la Generación Subeybaja.)

Cuando me cansaba, apagaba todo, cerraba bien el camarotongo y me iba al vagón comedor. Pedía whisky o cerveza. Y un sándwich. Algo con pastrami. O lo que fuera. Fumaba. Otro detalle curioso de México: el único país de Primer Mundo en el que puedes fumar encima de todos y nadie te dice nada. Allá les va mi apestoso cigarro, mi pedazo de cáncer, chúpenselo pendejos. Lucky Strike o Camel. Realmente no dependía de mi gusto, pues sólo compraba de los que hubiera. A mí lo que me importaba era fumar. Fumar por fumar. Claro que tenían que ser Lucky Strike o Camel. Tenía la pendeja idea de que no me iba a morir de cáncer si fumaba cigarros caros. Como si hubiera una diferencia. ¿El sabor? Ña, el sabor es pura mamada. Lo que me interesaba era fumar. Pero fumar cigarros *ad hoc* conmigo, no cualquier chingadera.

Una vez paramos en un puto pueblo perdido a la mitad del desierto de Coahuila. ¿El bolsón de Mapimí? Na, ésas son boludeces. Esto era el puto *Dunas,* les juro. Bajé del tren con anteojos oscuros, bucket hat, bermudas ligeramente abajo de la rodilla, huaraches, playera, suficiente bloqueador de sol (por aquello del cáncer). El sol me pone a pensar hasta cuándo existirá la vida sobre la Tierra tal como la conocemos. El xodido día en que el agujero de ozono nos alcance. Brrrr. Sólo pensarlo me da frío. Espero llegar al estreno de la tercera precuela de *Star Wars*. Entonces, que venga lo que sea. Aunque imagino que los gringos ya tienen un plan de contingencia. Los pendejos gringos siempre piensan en alguna mamada. No sé, un domo global, una evacuación masiva a la Luna o a Marte (Venus no, porque hace demasiado frío). Y alguien en Hollywood debe estar planeando la película. Espero que los efectos visuales sean de ILM.

Me armé de valor y celosamente encerré casi todos mis aparatos del demonio en la cabina. Incluso amenacé a uno de esos vecos de gorrita y saquito ridículo, los que te recogen el boleto. "¡Desaparece algo de mi camarote y uyuyuy!", le dije con mi mejor cara de personaje de Tim Burton. ¡Bírelyus, Bírelyus, Bírelyus!

Sólo me llevé la cámara de fotos. Quizá habría algo digno de capturar. Ya saben, la gonorrea dura un rato pero los recuerdos son para siempre, algo así decía esa campaña de Kodak... bajé y sumergí las patotas en la arena. El calor hacía curiosas ondas en el horizonte. Frente a mí había algunos edificios de dos pisos (*as usual*), posiblemente de adobe, no lo sé... la concurrencia caminó hacia allá, y yo, buen borreguín borreguete, la seguí... aluciné que era Kyle McLachlan y que vestía un traje de los fremen. Y David Lynch me decía, con su carota de perro: "¡Acción!" Volteé hacia el tren e imaginé que se había transformado en un gusano de Arrakis. Incluso me pareció escuchar una voz dentro de mi mente que repetía "*spice... spice... spice*".

¡Qué sol! ¡Ningún sol podía quemar más que ese sol!

Entré en uno de los edificios, y la gélida onda del aire acondicionado (o "clima", como le dicen los nativos) me golpeó inmisericordemente. Me sonreí. Ante mí se abría una tienda departamental que, repitiendo su eslogan, era "pequeña pero con un gran surtido". Por un momento pensé que sería mejor salir rápidamente de aquel lugar y buscar algunas de las bellezas naturales, como, no lo sé, correcaminos o alacranes. Sin embargo, mi entusiasmo turístico se esfumó cuando un payasesco veco de saquillo rojo se acercó al grupo del tren y gritoneó con voz de marica: "¡Al presentar su boleto les haremos un 35% de descuento en cualquier artículo de la tienda!"

De inmediato me vi empujado y ultrajado, claro, por los alocados parroquianos dispuestos a gastarse sus dólares. Yo, aunque no lo crean, reaccioné con moderación. Digamos que lo digerí con calma. Caminé por el sitio, observando los diferentes departamentos, perfumería, tabacos, revistas, juguetes, regalos... al ver electrónica, pueden comenzar a escuchar un tedioso piano e imaginarme caminando en *slo-mo* hacia allá y al pobre troyano o apache o lo que sea de la American Express gritando desesperado desde mi cartera: "¡No! ¡No de nuevo!" De pie, frente a docenas de aparatos digitales, sentía cómo me temblaban las piernas, el corazón se encogía y la garganta se hacía nudo.

¡Y con la ventaja del descuento, peor! ¡Eso echó todo a perder!

La psicología de la rebaja es sencilla. Si te ofrecen un bien, digamos, unos jeans a dos terceras partes de su valor, lo aceptas con gusto. O por lo menos te pones a pensar. A pensar en serio. Te están diciendo que, lo necesites o no, es una oportunidad. Es un bien completo, un bien entero, una unidad. No te están vendiendo pedazos, aunque podrían hacerlo. Te están diciendo que si te ofrecieran un pastel de diez rebanadas (generosas) con un 30% de descuento, podrían dártelo con sólo siete (vaya, ésa es una simple cuestión matemática), pero no, la buena voluntad del judío dueño del establecimiento ha decidido que te dará las diez rebanadas al precio de siete. Ahora bien, ¿necesitas realmente esas putas siete rebanadas? La respuesta obvia es un rotundo no, pero la más justa sería que sólo en tres de cada diez ocasiones, únicamente en un 30% de las veces que vas a un mol y te topas con un producto en descuento lo necesitas. Eso sólo incrementa tu hambre por poseerlo: piensas que estás en la zona del 30%, en una de esas tres de cada diez chances en las que puedes llevarte un producto que te costará sólo el 70% de su valor.

¿Ven? Las baratas son los únicos momentos en los que llegamos a pensar.

En mi caso, salí de la tienda con una estúpida felicidad por haberme comprado otra cámara digital de la misma marca y con las mismas especificaciones que la que cargaba en el hombro, pero a sólo dos terceras partes de su valor real mientras yo me encontraba en una tercera parte de dichas oportunidades reales.

1,099 dólares más tax. Emocionado, acomodé con cuidado mi par de cámaras en la maleta. Se veían tan lindas, como dos sonrojados gemelines moqueando en la carreola. Camarina Uno y Camarina Dos. Me entristeció no tener a la mano una tercera cámara para tomarles una foto. Así de bien se veían juntas.

A las once de la noche estaba de nuevo en la estación de trenes. Tomé un rickshaw de regreso a casa y vi películas hasta las cuatro y media de la mañana.

Así eran, básicamente, mis sábados.

¿Excitantes, verdad?

Debo decir que los domingos también tenían lo suyo. Despertar tarde... pedir que me hicieran un licuado... tenía un sirviente mecánico, un zotaco hombrecillo de metal que limpiaba el departamento y me hacía de comer y planchaba y todo eso de hueva. No tenía nombre. Yo sólo le llamaba robot. Lo compré porque la compañía me dio un carro y yo tenía suficiente dinero en mes y medio para comprarme otro, pero preferí un robot. En la caja decía que sería apropiado, háganme ustedes el xodido favor, ponerle nombre a la chingadera "para mantener sana su autoestima". ¿Y la mía?

Así es que robot me hacía de desayunar el domingo. Un licuado, algo de fruta, a lo mejor una cerveza, no lo sé... me echaba en el futón japonés que pedí por un curioso y arcaico catálogo impreso en papel cuché que alguien aventó por debajo de mi puerta (y que robot no se molestó en recoger), prendía el fido, un monstruo de cincuenta y siete pulgadas, *picture in picture,* alta definición, servicio de DirecToHome, quinientos y tantos canales, todas esas mamadas. Dos terceras partes de los canales (volvemos a lo de los descuentos, pero a la inversa) no servían de nada. NFL Sunday Ticket, todos los juegos en vivo y a todo color. Conectaba mi laptop al Internet y encendía una computadora morbosamente gigantesca que guardaba en un cuarto que sardónicamente llamaba "el estudio". La dejaba bajando tráilers de películas y QuickTimes de nuevos videojuegos, y con la laptop me metía a los menús interactivos de los partidos que estaba viendo, respondía las encuestas y el "*guess the next play*", aunque los premios fueran sólo para gringos... llenaba cuadritos y cuadritos virtuales con estadísticas de todo lo que sucedía en ese domingo... pedía una pizza por la red, un sixpac de Heineken... me introducía en alguna tienda y compraba discos, cintas de VHS pornográficas, piyamas, donaba dinero para Greenpeace... regresaba mi atención al fido, en algún touchdown o intercepción, o cuando fracturaban a alguien. "*Guess the injury*": mmm, dislocación de hombro, contusión craneana, distensión de ligamentos, fractura de dedos, ojo picado, cadera fracturada, omóplato zafado, testículo pellizcado... entraba a un chat a insultar a todos los sudamericanos, fingía ser mujer y pedía un cyber con algún veco en el cuarto; me masturbaba picándome el ano con el dedo pulgar, y a veces iba al cajón del clóset y sacaba una vela gruesa, la embarraba con vaselina y me la metía hasta la mitad del recto o hasta romperla (afortunadamente tienen un hililllo enmedio) y aquello me hacía eyacular todo lo que tuviera enfrente... pedía boletos para el cinematógrafo por si me daban ganas de ir más tarde... compraba para varias funciones y varias películas, tres o cuatro, sólo en caso de que llegara a animarme a ir a alguna de ellas... lo importante era no quedarme sin lugar... regresaba al partido, que ya era el último del día, el de las seis de la tarde... ponía Cartoon Network, *Los Picapiedra*, *Dexter*, *Don Gato*... quizá jugaba un rato, trataba de terminar otro nivel de *Zelda*.

Cuando me decidía a ir al cine, me ponía pantalones y gorra y playera y chamarra y robot me pedía un rickshaw. Ahí sólo llevaba el móvil y la Palm (por si tenía que anotar algún buen dato de trivia). Me gustaban los reestrenos. Fui a ver dos veces *La ventana indiscreta*, y como seis *El imperio contraataca*. Ya sé que hay una gran diferencia entre Hitchcock y Kershner, pero pesa más la educación que recibí de unidades erredós, wookies con caspa y dianogas trasnochados. El cine en domingo a las diez y media de la noche es una maravilla porque no hay muchos parroquianos, aunque en verano es obscena la cantidad de teenagers que ves merodeando el lugar. No es que tenga algo contra ellos. Los varones, por ejemplo, me tienen sin cuidado. Sólo pensar que alguna vez fui así, largo de miembros, granoso y sin rumbo (je je), me da el frik. El viejo y estarrio frik (es redundancia). Pero los lepes no son el problema, sino las ptitsas. Las pequeñas babuchquillas que se pavonean por el multiplex cerca de la medianoche. Brrr. De nuevo el viejo y estarrio frik. Blusillas minúsculas, pantalones ajustados, rostros celestiales, nalgas perfectas, vaginas virginales con olor a orina. Siempre en grupos. Como perras, cazando en jauría. A veces me lanzaba a hablarle a alguna, pero siempre me bateaban: "Viejo pendejo" o "pobre güey". Aunque tengas veintitrés años siempre serás un anciano para una ptitsa que va en la secundaria.

Y bien, meterme a la sala. Salirme e ir a ver pósters. Comprar palomitas de caramelo. Ver cómo mi panza incrementaba su volumen. Un gran vaso de Pepsi. ¿Doce, trece, catorce onzas? Regresar a la sala. Comerciales estúpidos, el tráiler de DTS, el tráiler de Dolby Digital, el tráiler de Dolby Surround EX, el tráiler de SDDS, el tráiler de THX, el tráiler del multiplex.

(No es que yo supiera mucho del tema, sino que después aprendí esas cosillas gracias a alguien de quien les hablaré más tarde.)

Salir de la sala a la mitad de la película. No la abandonaba (no soy de ese tipo de vecos), simplemente me daban ganas de orinar. Casi siempre a la mitad. Y en el baño, más chelovecos. Padres jóvenes ayudando a que sus becerritos orinen por sí solos. Más teenagers. Y algunos vejetes. En alguna ocasión me tocó en el mingitorio de al lado un parroquiano de la tercera edad. Meaba profusamente y sin mayores dificultades. Me sorprendí, no porque mear fuera una felicidad (que lo es, y más si eres hombre: de pie, vigoroso, propulsión a chorro... cualquier mujer que haya visto eyacular a su amante sabe de qué hablo), sino porque ese veco, arrugado, canoso, maltrecho, se la estaba pasando de pocamadre.

"¿Funcionará así de bien mi vejiga cuando llegue a los sesenta?", pensé.

Al llegar a casa, casi a la medianoche, y ser recibido por robot, me daba cuenta de lo deprimido que estaba. A veces me ponía a llorar sin parar durante una media hora o cuarenta minutos. De esa manera pasé, no sé, siete u ocho meses. Quizá más. Cuando estás deprimido no tienes una gran noción de lo que es el tiempo. Mi forma de medirlo era por las canciones que escuchaba, 03:10, 00:17, 02:08, 02:26, 03:07, 06:01, o por la duración de todo el disco. *"Perfect Day"* de Lou Reed dura, por ejemplo, 03:45.

Tres minutos con cuarenta y cinco segundos llorando pueden parecer poco tiempo, pero cuando estás deprimido te parece que has pasado toda la noche en vela.

DOS

Otra noche, otra mañana. Madrugada, escribiendo correos sin sentido a quién sabe quién.

Depresión. Solo. Vivir solo no es tan fácil como te lo han platicado. Es llegar tarde a un lugar lleno de máquinas pero muerto. Es convertirse en alguien sin sangre, sin tejidos, sin huesos. Es dormir solo. Es despertar solo. Es acompañarse por MTV o el radio. Y nadie más. Cuatro paredes. Blancas. Y. Tú. Solo.

Solo sólo tienes que soportarte a ti mismo. Solo sólo tienes que verle la cara a una persona en el espejo. Sólo solo te conviertes en tu propio dios. Sólo solo te conviertes en tu propia familia, en el padre, la madre, la hija y el hijo. Solo eres todos a la vez.

¿Qué pasaría si un día te dieras cuenta de que nadie te escucha y nadie te puede ver? Tú sí al resto del mundo, pero el mundo no a ti. Quizá seas invisible para todos, o todos son invisibles para todos. Probablemente te sentirías igual de infeliz que un náufrago que se ha quedado varado en una isla desierta. Podrían decirme que aunque nadie te vea y te escuche tú sí puedes verlos y escucharlos a ellos, y el náufrago no tiene contacto absolutamente con nadie, pero la verdad es que cuando vives solo y caminas por la calle y nadie te saluda ni se despide de ti ni te voltean a ver, eres un náufrago. No tienes que estar en una isla desierta. O posiblemente sí lo estás.

En ambos casos te encuentras solo.

Yo soy invisible.

Yo soy El Gran Hombre Invisible.

No hablo con nadie en casa. No hablo con nadie en la oficina. Puedo salir y entrar de mi trabajo y nadie se da cuenta. Nadie toma nota de mis movimientos. Nadie escucha mis palabras. Es más, nadie huele que estoy cerca. Aun cuando me eche encima la mierda loción carísima de Gucci que compré. Mi asistente no habla conmigo, habla con un teléfono o un sillón de piel italiano. Madre y padre y mis tres hermanos no hablan conmigo, hablan con un teléfono. Y en el mol, las vendedoras de piso no hablan conmigo, sino con el troyano de la American Express.

Yo soy El Pequeño Gran Hombre Invisible. Cuando eres invisible el mundo pierde su color. Todo se vuelve gris. A veces hay blancos y negros, pero casi siempre es gris.

Afortunadamente, la gama de grises es muy amplia.

Mi hermano mayor se llama Clavius. Él es mayor que mis otros hermanos también. Él me lleva dos años. Asistimos a la misma universidad pero no al mismo campus. Tampoco estudiamos la misma carrera.

Clavius es uno de esos sesudos yupis que no son yupis pero que aspiran a serlo. Gana treinta mil dólares anuales más que yo, lo cual es mucho decir (o a lo mejor no es tanto), y tiene un apetito muy peculiar por las mancuernillas. Pero eso no lo hace un yupi. Ni que vea docenas y docenas de veces esa mamona película de Charlie Sheen y Michael Douglas.

Mi hermano, mi amigo de la infancia, mi compañero de juegos en el parque y en la recámara armando el Lego y archivando tarjetas Topps y coleccionando figuras de *Star Wars*, se encontraba en un estado civil (casado) que, presumiblemente, lo hacía feliz. Y eso es bueno. Muy bueno. Clavius es un sujeto con todo un "plan de vida" (ah, otra maravillosa expresión, "plan de vida", seguramente acuñada por un pendejo y gruñón psicólogo que habla en el radio). Clavius cree que es preferible tener un "plan de vida" a ser invisible. No sé si estoy de acuerdo.

Marpis es mi hermana mayor. Ella es un año más joven que Clavius. Es muy flaca y demasiado inteligente (una flaca lista, mala combinación). Digamos que me llamó un martes a la una de la mañana. Me habló sólo para decirme lo maravillosa que era su vida. Marpis y su esposo tienen un hijo encantador, Cole. No es el Cole del que luego les platicaré. Éste es otro Cole. Éste es mi sobrino Cole. Y digo que es encantador porque es mi sobrino. Uno normalmente es elocuente al hablar de su sobrino, aun cuando la mayoría de la gente te tira a pendejo mientras les platicas sus anécdotas. Es como pasar los videos o las fotos de tus vacaciones. Te dan ganas de decir "a mí me vale verga tu felicidad". Cole es enojón, caprichudo y berrinchudo. Pero eso no lo hace ni más ni menos maravilloso. Sus papás son un dolor en el culo y, sin embargo, por alguna extraña razón, Cole es un buen tipín. Un buen cheloveco de sólo tres años de edad. Y cuando la gente se voltea sé que hablan pestes de mi sobrino, y quizá con razón, pues en el fondo es un lepe insoportable. Pero no me importa porque yo hago lo mismo con los suyos. Es la ley de la vida. Es la ley del oeste.

Imaginen que converso con Marpis sobre Cole. Imaginen que, en una laguna durante nuestro diálogo, ella finge preocuparse por mi estado emocional (por algo me ha llamado a semejantes horas de la noche la muy puta maldita):

"¿Cómo estás?", pregunta Marpis.

"Uh, oh... bueno, yo...", balbuceo.

"Fíjate que ayer", me interrumpe, y luego prosigue con un largo "bla bla bla bla bla".

El contenido del largo bla bla bla bla bla podría resumirse así: su vida es estupenda. *Flawless*.

Y me daba envidia. ¿De qué? ¿De sus interminables visitas diarias en el mol? ¿De los cafés con bisquet embarrado con mermelada de fresa de Irapuato echada a perder y harto Nutrasweet con las mamás de los otros lepes del kinder? ¿De prepararle el desayuno de colorantes y saborizantes artificiales a un corbatudo malaliento? ¿Envidia de todo eso? Claro. Envidia de su felicidad. Envidia de que fuera tan feliz. Cuando alguien viene y me dice que se la está pasando bien, a veces (con suerte) atino a seguirle la corriente y dejar que no me afecte. En otras ocasiones, esas confesiones de felicidad me golpean como un martillo en el estómago. Siento que me crece un tumor en el cerebro, y en una zona inoperable.

Éstas son frases felices que me hacen odiar la felicidad ajena: "Mi perro crece grande y sano y hermoso"; "te tengo que contar algo: (pongan aquí el nombre que mejor les convenga) y yo andamos. Pasamos un fin de semana increíble"; "me va pocamadre en el trabajo. Tengo muchas posibilidades de crecimiento".

Seguramente han escuchado aquello de "envidia de la buena". Escúchenme: no se dejen envenenar con esa mierda. No existe la envidia de la buena. La envidia es simplemente la envidia. Ya sea de pene, de auto, de trabajo, de chica o de corbata, la envidia siempre te corroe, siempre te enferma y siempre, siempre, te mata. Tardará un poco, pero acabará por asesinarte y enterrarte.

Recuerden el tumor del que les platicaba.

No digo que la envidia no sea necesaria. La civilización occidental tal como la conocemos sería impensable sin ella. ¿Cómo progresarían los imperios si no envidiaran lo ajeno, y después lo codiciaran? ¿Cómo inventarían los hermanos Wright el aeroplano si no hubieran envidiado a esos emplumados animalillos de mierda que vuelan con un mínimo esfuerzo? ¿Cómo progresaría México si no envidiara a...? Uh, olvídenlo.

La codicia es prima hermana de la envidia. Pero yo soy un mediocre. Prefiero cosechar la envidia, dejar que me coma por dentro. No le doy entrada a la codicia. Me quedo en mi envidia, y no hago nada por obtener lo que deseo.

La codicia es la prima fresa de la envidia. La codicia te hace crecer, y la envidia te deja justo en donde estás, empantanado, igual de xodido. Me gusta la envidia. Me gusta ser envidioso.

Hablando de Gekko.

Ahora imaginen que estoy en mi gigantesca oficina (tan grande como el Madison Square Garden) y me llama madre, presumiblemente preocupada por lo que Marpis le dijo sobre mí. Qué le dijo... veamos... algo sobre mis soledades... mi ritmo de trabajo autodestructivo... podemos especular todo el día porque en realidad no me preguntó nada. En fin: ¿de qué se preocupa esa pendeja, me digo? (Ambas pendejas, debería decir.)

"¿En dónde está Midyet?", preguntó madre.

De nuevo, imaginen que esta conversación se sucede un año después del episodio depresivo que les comentaba, y ya no vivo solo, sino con una mujer que se llama Midyet. Regreso un poco la cinta:

"¿En dónde está Midyet?", preguntó madre en esa ocasión.

"No se siente muy bien", respondí.

"¿Qué tiene?"

"Anda vomitando por ahí."

"¡No estará embarazada!"

"No, madre, no está embarazada."

"¿Entonces qué tiene?"

"A lo mejor tomó mucho anoche y todavía no se le pasa."

"A ver, pásamela."

"Madre, estoy en el trabajo."

"¿Y eso qué?"

"¿Cómo demonios te la voy a comunicar si estoy en el trabajo?"

En realidad, los dos teléfonos de escritorio Ericsson que tengo en la oficina son capaces de hacer una búsqueda de números posibles en los que Midyet pudiera encontrarse, marcarlos, pedir por ella y, al hallarla, rutearla de nuevo a la línea de origen y establecer una conversación tripartita ya sea en el auricular o el *speaker*. Pero el punto es que no estaba dispuesto a hacer eso. No ese día.

"¡No me quieras engañar!", continuó madre.

"No, madre, no te quiero engañar. Yo trabajo aquí, y Midyet no se encuentra conmigo."

"¿Por qué dices que está vomitando, entonces?"

"Por decirte cualquier estupidez."

"¿Entonces qué tiene?"

"¡Yo qué xodidos voy a saber! ¡Estoy muy ocupado!"

(A decir verdad, mi única actividad en ese momento, y como en casi todo el día, era rascarme el escroto hasta sangrar.)

Ahora piensen que regresamos en el tiempo a un año atrás, al mencionado martes a la una de la mañana, y charlo con mi hermana Marpis por teléfono:

"El fin de semana pasado fuimos a una boda", comenta muy pendejamente casual. "Y sucedió algo realmente deprimente."

"¿La boda de quién?"

"Eso es lo de menos. Lo importante es lo que pasó."

"Dime qué pasó."

"Te diré lo que pasó una noche antes."

"Okey, dime qué pasó una noche antes."

"Dani y yo fuimos a un bar. Tomamos cerveza. Nos fumamos como tres cuartos de cajetilla."

Dani es el diminutivo de mierda de Danilo, el estúpido cara de simio que se casó con mi hermana.

"Tremendo", le digo. "¿A qué bar?"

"Eso no importa."

"¿Con quiénes fueron?"

"Eso tampoco es importante."

"¿Qué es lo importante?"

"Llegamos a las dos y media. Al otro día nos sentíamos realmente mal. Cruditos, tú sabes."

"¿A qué hora se levantaron?"

"Como a las ocho."

"¿Por qué?", pregunto, fingiendo sorpresa.

"Teníamos que ir a ver lo de la tenencia y el predial."

"¿Justo ese día?"

"Ésa es la fecha que Dani estipuló."
"¿Por qué ese día en específico?"
"Mmm... no lo sé."
"¿Y no podían hacer una excepción?"
"¿Una excepción?"
"O sea, no ir."
"¡Oh, no!"
"¿Por qué no?"
"Porque así quedamos de antemano."
"¿Eso es lo deprimente?"
"No, sólo parte de lo deprimente."
"Okey. Regresaste temprano y descansaste."
"No, realmente no. Dani quería ir al mol."
"¿A qué?"
"A ver unos zapatos."
"¿Para la boda?"
"No, ésos ya los tenía desde hace mucho. Se los trajo mi suegra... de San Antonio, creo. No hay nada que ver en San Antonio. Sólo ir de compras. Y El Álamo."
"¿Qué zapatos? ¿Para qué?"
"Eso no es lo importante."
"¿Qué es lo importante?"
"Que regresamos a casa como a las seis."
"¿Deveras? ¿Y a qué hora era la boda?"
"A las siete."
"¿Y les dio tiempo?"
"Sorprendentemente, sí."
¿Encuentran algún sentido en esta conversación? Yo no, pero es posible que ése sea el punto.
"Menos mal", continúo, un tanto mareado.
"No tan bien", dice Marpis. "A la una de la mañana, en pleno banquete, ya no podíamos. Estábamos exhaustos. Nos moríamos de sueño. No hablábamos. Todo el alcohol se había ido quién sabe por dónde."
"¿Eso fue lo deprimente?"

"No, sino el hecho de que ya no podemos irnos de fiesta dos días seguidos. Por cada desvelada siento que tengo que descansar tres semanas."

Lo curioso es que unos días después tuve un diálogo similar (por teléfono, claro) con Joselín Dam, un buen veco naucalpense que es amigo de Clavius:

"En general, estoy cansado", me dijo. "En el trabajo me la paso dando bostezos. En el tráfico me quedo dormido. No me alcanzan los fines de semana para hacer algo. Y siempre tengo cosas que hacer."

"¿Y no puedes estipular un fin de semana de puro descanso?", comenté sesudamente, pensando en los calendarios de Danilo Comemierda.

"Es muy difícil. Casi imposible. Además, es probable que me aburra."

"Tremendo."

"¿Qué piensas? ¿Que soy un xodido cachún que no sólo está esclavizado de lunes a viernes sino los sábados y domingos también, y que hace todo lo que su esposa le pide que haga?"

"Más o menos."

"¿Qué piensas? Dime."

"Que eres un xodido cachún esclavizado al trabajo y a su esposa. Que eres un esclavo de tiempo completo."

Joselín guardó silencio.

"Ya veo."

De nuevo se quedó callado.

"Bueno, ya me entenderás", continuó.

"¿Por qué?"

"Tu generación está empezando a casarse. Están comenzando a ver la vida como realmente es."

Joselín es Generación Cachún. Eso quiere decir que cuando pasaban *Cachún Cachún Ra Ra* por el fido él estaba en el *high school*. Le sigue la Generación Postcachún, un poco menos aburrida y un poco más soez. Luego sigue mi generación, la que he tratado de definir desde el principio, aunque normalmente le llamo la Generación de Mierda. Abajo de nosotros hay otra generación, casi igual de soez y aburrida, pero aún no le pongo nombre.

Mi generación es la Generación Que Le Pone Etiquetas A Las Generaciones.

"¿Eso te parece?", dije, francamente aburrido.

"Claro."

"Qué intenso."

"¿No sientes en el aire ese peculiar síndrome bajo el cual todos tus amigos salen de la universidad y comienzan a casarse?"

"No."

"¿No ves a tu alrededor que los trabajos se estabilizan, los días pasan sin grandes emociones y tu vientre comienza a abultarse a un ritmo mayor?"

"Tengo más dinero que antes."

"Mal síntoma."

"Pensé que era bueno."

"Yo también. Y mírame ahora."

"Pero tú te acercas a la siguiente etapa. Pronto tendrás hijos. Te vas a amarrar peor de lo que ya estás."

"Ésa es mi gran ventaja sobre ti."

Creo haberme meado de la risa cuando ese pendejo de mierda hizo el último comentario.

"Te llevo un paso", prosiguió. "Tú apenas vas a pasar por la chingadera en la que yo estoy. Tú y tu mugrosa generación son cachunes en potencia. Pronto se unirán a nuestro mediocre grupo, no te preocupes."

Comprendí, o creí comprender, un secreto de la vida: nos vamos moviendo pero no dejamos de ser los mismos. Lo que decía Joselín tenía sentido, pero no era totalmente preciso. Cambiamos para permanecer igual. Ésa es la cuestión.

Ahora, por ejemplo, estoy en mi fase Hamlet. Mañana, si las cosas pintan mejor, estaré en fase Falstaff, un poquitín más irónico. Alguna vez, aunque no lo crean, anduve en fase Romeo. Y en unos años, de eso estoy seguro, estaré en fase Lear. O Macbeth.

Pero, insisto, Joselín tenía un punto. Mi hermano menor, Alo, había comprobado su teoría, sin saberlo, unos meses antes. Alo es un veco sin rey ni roque, un completo hijoputa (créanme, conozco a la madre). Vive, como yo lo hice alguna vez, para el alcohol, la marihuana, el hardware, el software y la masturbación. Todo lo anterior es sinónimo de estudiante universitario.

Una vez, cuando ya estaba en la corporación, Alo y yo discutíamos acaloradamente. En una de ésas, me dijo cachún. Bueno, me llamó de la siguiente manera:

"Eres un xodido cachún de mierda, pendejo compratarjetas de crédito, bañador de autos, hipotecado eterno, bastardo corbatudo, ramera vendidota, grandísimo hijo de la verga de Wall Street, cerdo amante de VH1, Michael Bolton, Yanni, Simply Red, 10,000 Maniacs, panbolero frustrado, priísta de cagada, pendejete consumista, iletrado, esnobillo de quinta, lameculos integrado al sistema, besahuevos de Walt Disney, Al Ries y Carlos Slim, puerco adicto al fido, a la nicotina, al café, al Jack Daniels, castrado robot de oficina."

Y yo le dije a él:

"Pandrosito estúpido alzado sobrado crecido, jovencito rabanito, xodido con agujeros en los calcetines, vistebóxers, jeansviejos, carteravacía, teniscerdos, matasebosa, vómito seco del Soho, arrastrado amante de MTV, Red Hot Chili Peppers, Beck, Pearl Jam, soundtracks de pelis de Quentin Tarantino, basquetbolista frustrado, perredista de cagada, bastardo hipócrita, aburrido, intelectual pretencioso, lamehuevos de Peter Greenaway, Steve Jobs y Jeff Bezos, marrano adicto al PlayStation, a la marihuana, a la Coca-Cola, a la cerveza, castrado alternaquito frustrado."

Posiblemente lo han entendido. Alo me insultó como yo insultaba a Joselín y yo insulté a Alo como Joselín me insultaba a mí unos años atrás.

La diferencia es que sigo siendo el mismo saco de plomo.

Alo, en cambio, es una cosa dc vcrsc. Odia a padre y a madre, y no les dirige la palabra si no quiere. Puedo verlo en la cocina, enmedio de una trifulca familiar, tomando su backpack y saliendo por la puerta de entrada. Grandioso. Enorme. Cada vez que hacía eso era como si David Justice metiera un jonrón. Y con la casa llena. Y de visitante. Una caravana para este veco de valor que xode a madre y a padre. Marpis los ayuda y yo los sobrellevo, pero Alo los detesta. Es más, pregúntenle a Alo sobre padre o madre y seguramente responderá:

"Son unos grandísimos hijos de puta."

Si soy vicepresidente antes de los treinta, voy a darle un puesto honorario a Alo. Un empleo en un departamento que tenga que ver con atención al cliente. O a proveedores. Son los mismos chacales, *anyway*.

Mi otra hermana se llama Karen. Generacionalmente hablando (guau, a veces sueno tan científico), Karen es una rareza, pues no es parte de la Generación de Mierda o de la Generación Sin Nombre de Alo. Ella nació enmedio, y eso la hace un poco difusa.

No que sea interesante. Mi hermana Karen es una pendeja. Y no es un simple insulto, no: es tonta. Estoy seguro de que ver demasiado Cartoon Network le hizo daño. No puedes esperar mucho de alguien que jura que sir Arthur Conan Doyle escribió episodios de *Scooby-Doo* y Edgar Allan Poe de *Buffy*.

Pero, en mi mente, Karen es indispensable —ya saben, como una pieza insustituible de un rompecabezas— para recrear la vida que llevaba en casa antes de irme a la uni: padre mamando verga, madre mamándosela a padre. Alo como un lepe chingado, viéndome jugar Atari, ataviado con una playerilla de manga de tres cuartos frente al fido. Y afuera, un jardín californiano. Y parada en éste, con un levantado copete, Marpis, hablando por el teléfono inalámbrico, seguramente con su camote en turno. Y Karen Difusa, con su rostro de ángel y sus ojillos verdes perdidos en los gordos cachetes y las gruesas piernas de árbol y las pequeñas y gordas manos, chiquitas, sosteniendo una jarra de Kool-Aid, haciendo lo que madre nunca hizo: llamarnos a la mesa.

A comer, Karen Difusa.

Karen Difusa se puso buenísima con el tiempo. Todo un sueño *teen*. Los cachetes y las lonjas dieron paso a un rostro guapo y un esqueleto bien formado. ¿Cuándo supe eso? Difícil pregunta. ¿Cuándo te das cuenta de que tu hermana menor ya es candidata a los chascos soeces de los vecos, a las miradas ácidas, a las masturbaciones mentales? No lo sé. Para mí fue un verano, en (...), cuando intentaba pasar, por alguna maquiavélica razón, un par de meses en casa. ¿Qué hacía ahí? ¿Extrañaba mi cuarto? Na. ¿A mi familia? Menos. Quién sabe, pero en mi año de junior decidí pasar el verano en Naucalpan. Lo primero que noté no fueron las tres cubetas de veinte litros de pintura de agua que costaron ciento doce dólares y con las que pintaron la casa de color rojo ladrillo, no; lo primero que vi fue a Karen Difusa, quien me recibió en el jardín californiano con jeans recortados cual shorts y playerilla de Hello Kitty. Y también vi a su amiga, una ptitsa tan buena que me hizo sudar frío. A esto siguió una serie de abrazos y besos, y una erección también.

Vi de nuevo a la antigua amiga de Karen. Ni siquiera recuerdo ahora el nombre, pero no puedo olvidar la punzada en el pene. De todas formas ahora ella y Karen Difusa ya no son amigas.

No confíes en nadie. No le cuentes tus secretos a tus mejores amigos. Serán los primeros en echarlo a perder. Podrán pasar meses, quizá años, tragándose esas verdades que les has confiado, pero finalmente las dejarán salir y echarán todo a perder. Ése es el punto. Echarlo todo a perder. Como cuando dejas una fruta demasiado tiempo en el frutero, y primero está rodeada de moscos y más tarde termina sola, llena de hongos, pudriéndose. Así es la amistad. Más bien, así son los mejores amigos.

Algo similar sucede con las ptitsas, claro. Y a las ptitsas debería decirles que lo mismo pasa con los hombres. Cada vez que una ptitsa se me ha acercado y me ha abierto el corazón le he advertido que no debe esperar sino lo más ruin y mierda de mí. En el mejor de los casos ambos nos romperemos el corazón; en el peor (y más seguro) terminaremos podridos. *Such is life*.

Vuelvo a aquel verano: el primer día me enteré de algo que tenía que enterarme el primer día (así de importante era): Karen Difusa había posado para unas fotos en una revista para *teens*. Durante la cena, todos, incluyendo madre y padre, hicieron mil y una fiestas sobre esto, y yo sentía que me había perdido de algo importante. Hey, ¿qué xodidos es una revista para *teens*? ¿Un mamotreto de esos en los que salen artistillas del fido y el cine y que sacan ropa y discos y maquillaje y demás cala? Bueh, no entendía lo emocionante del asunto, pero como no podía quitarle los ojos de encima a la amiga de Karen Difusa (no les había dicho, pero era una exquisa morena de cabello corto y no más de diecisiete años, un poco menos alta que yo, algo de pecado) y ella mantenía a flote el asunto de la revista, comencé a comprender aquella excitación general: toda la prepa vería las fotos de marras, y eso era algo digno de presumirse. Sonaba lógico, sin duda. También las podría ver el vequillo que se moría por chuparle las nalgas a mi hermana, y eso también, aunque sólo pensarlo me cagaba los intestinos, tenía cierto sentido común. Cuando iba por mi tercera cerveza empezaba a entender aquello... un problema de estatus, ni más ni menos. Fabuloso. La ley del oeste aplicada al *high school*. Ese día las revistas de *teens* me habían enseñado algo. Gracias, Dios.

Si llego a ser vicepresidente antes de los treinta institucionalizaré que todos los empleados de la empresa lean por lo menos quince minutos diarios de revistas para *teens*.

Bueno, al final de la cena, la amiga buenísima de Karen Difusa se deshacía por traer a la mesa la xodida revista de la que tanto se había paroleado. Bien, allí estaban las fotos de Karen, y se veía hermosa, claro. Mi hermana es muy linda. No es flaca e inteligente como Marpis (una combinación de mierda, ya dije), sino buena y pendeja, y eso la hace hermosa. Es hermosa por dentro y por fuera. Yo la amo.

Pero ahí, evidentemente, no paró todo. El ejemplar de julio tenía un plus, y ése era que la morenita también salía en el número. Y luciendo una minúscula faldilla. No me pregunten de qué era el artículo, lo importante es que se veía buenísima. La visualicé flotando enmedio de la parte más alta del Paraíso de Dante.

Quise cantar "*they call me The Seeker...*"

Esa misma noche, y esto posiblemente no lo vayan a creer, la morenilla se quedó a dormir en casa. Imaginen mi nerviosismo... un escolapio que tiene medio año sin ir a su lugar de origen encuentra que su hermana menor ha crecido... mucho... y esa hermana tiene una amiga... buenísima... y se va a quedar a dormir esa misma noche en tu casa. Aunque había viajado unos seiscientos kilómetros desde Tangamanga hasta Naucalpan, no tenía sueño, no *podía* tener sueño. Cerca de ahí estaban, encerradas, quizá en calzones, mi hermana menor y su amiga, haciendo sueños de jabón, y yo con la verga como un gran garrote.

Decidí que tenía que masturbarme. No puedo dormir en esas condiciones. Puedo trabajar bajo presión, sí, soy una puta máquina de producción, pero no puedo dormir pensando en sexo. Pensando en muslos morenos. Y en esos muslos.

Me levanté, decidido a descargar mi libido en el lavabo. Pero al momento de pasar frente al cuarto de Karen, algo me detuvo. Llamémosle "un momento de claridad": sabía que tenía que tocar toc toc. Y así, sin pensarlo, lo hice. Por debajo de la puerta se asomaba un rayín de luz, así es que al menos eso quería decir que las ptitsas estaban despiertas y había una oportunidad.

¿Una oportunidad de qué? ¿De entrar y golpear a Karen y dejarla inconsciente y entonces violar a su amiga por el norte el sur el este y el oeste? Nop. Mi plan era más sutil, y lo preparé frente a la puerta, en el pasillo, mientras me dirigía al baño, seis segundos atrás (lo que hago sin pensar no sólo es voraz e inspirado, sino efectivo).

Bueh, Karen Difusa abrió la puerta. Muy seguro de mí mismo, me asomé. No se encontraban en calzones ni nada. Las muy pendejas estaban viendo el canal de Sony, alguno de esos sitcoms de mierda.

"¿Sí?", preguntó Karen.

"¿Me prestas tu revista?", le dije cortésmente mientras saludaba a la morenilla por la pequeña ranura que se había abierto.

"¡Claro!"

Ah, esa inocencia de juventud.

Armado con el pasquín, corrí a encerrarme en el baño. Puse las fotos en las que salía la morenilla y me saqué la verga. Y jalé y jalé y jalé. No tuve que jalar mucho porque estaba tan caliente que podían asar un churrasco encima de mí, pero lo importante fue el resultado: varios millones de espermatozoides embarrados en el lavabo y el grifo. Creo que no me molesté en limpiar. Al otro día entregué el ejemplar, un poco más arrugado de lo normal.

Quisiera contarles que durante ese verano la morena y yo pasamos momentos inolvidables, y no sólo hicimos el amor de todas las formas que nuestra flexibilidad permitió, sino que nos enamoramos y realizamos votos de eterna fidelidad, pero lo cierto es que sólo nos vimos unas cuatro veces más, y la cosa no pasó de unos cuantos monosílabos. Yo era ya un anciano para ella, o por lo menos un prospecto de anciano.

Cuando tenía quince años las ptitsas de mi edad no me hacían caso porque se fijaban en los de dieciocho. Cuando cumplí dieciocho, ellas salían con vecos de la universidad. Cuando llegué a la carrera, descubrí que las ptitsas sólo se preocupaban por estudiar, adquirir una "proyección profesional", un "plan de vida" y algunos "objetivos" claros y respetables. No había mucho lugar para el sexo. Bueno, debo ser más justo: seguramente sí había lugar para el sexo, pero no para tenerlo conmigo. Una vez que me gradué y comencé a producir cantidades obscenas de dinero, me di cuenta de que todas las mujeres que "valían la pena" (como si eso significara la gran cagada) estaban estudiando un máster o se encontraban dedicadas al ciento diez por ciento a su profesión o ya se habían casado. Estas últimas son las más escasas.

Lo cual no es un signo alentador. No cuando tienes veinticinco años. Los veinticuatro te regresan, febrilmente, a la pubertad.

Pero a los veinticinco, si bien has superado la crisis de identidad, todavía no diriges tus esfuerzos hacia algo en concreto. De nuevo, la pendejada esa de los "objetivos". Cómo duele tener veinticinco años.

La mejor edad, la flor de la vida, viene a los veintisiete. Es la edad perfecta. Te sientes relativamente lejos de la crisis de los treinta, pero los traumas de acomodamiento al nuevo orden social han pasado. Es el mayor momento de creatividad, inteligencia y, en algunos casos, vigor físico. Steven Spielberg tenía veintisiete años cuando filmó *Jaws*.

Los perfectos veintisiete años.

Pero yo sólo tenía veinticinco y no terminaba de ajustarme. No tenía "objetivos". Sólo un departamento equipado y un montón de gadgets en el portafolios y una gorda cuenta bancaria.

Durante esa época, mis malditos veinticinco, pasé mucho tiempo en el cinematógrafo. Puedo decir que disfrutaba viendo a la gente. Me dedicaba a observar a las ptitsas, a las nacas, a las densas y a las fresas. Concluí que me gustaban más las fresas. Me gustaban sus vocecillas de cagada, sus rostros perfectos, sus dientes arreglados, sus faldas esnobs de Saks, sus suéteres y sacos de Neiman Marcus, sus zapatos de Ferragamo y sus botas de Nine West, sus calzones y sostenes de Victoria's Secret. Me gustaban sus conversaciones superficiales que suelen ser más complejas y enriquecedoras de lo que el resto de los vecos cree. Los secretos de las fresas son como tesoros que nadie conoce. Me dediqué a espiarlas, a escucharlas platicar en las filas. Poco a poco comencé a anhelar poder sumergirme en una fresa, en el amor de una fresa, ese placer tan subvaluado.

Claro que no tenía mucho éxito. A veces la fila para entrar a la sala no era tan interesante. Me veía enmedio de vecos aburridos, vecos chupados en vida, vecos sin pasión. Por esas fechas conocí, gracias a estos sujetos, una nueva forma de discriminación. Cuando vas solo al cinematógrafo los parroquianos te ven como un bicho raro. Durante un tiempo pensé que así eran las cosas en Saltillo, pero después de pensarlo detenidamente no encontré un solo argumento que me dijera que en Naucalpan o en cualquier otro lado fuera diferente. La verdad es que todos esperan que vayas acompañado al cinematógrafo.

Formado en la fila para entrar a la sala, podía darme cuenta de la manera en que me veían. Sus ojos me decían "¿qué haces aquí, solo? ¿No tienes algo mejor que hacer?" Sí, pendejos, aquí tienen toda una hipótesis para un mierda documental de Discovery: los humanos van al cine en pares, y todo aquel que osa ir solo es tratado como un cagada. Los vecos van al cine en pares, jamás en nones; si lo haces, eres un apestado. Los vecos se hacen a un lado. Murmuran chingaderas de ti: "El veco malsano que no viene con su par." Ya en la sala, nadie quería sentarse junto a mí. La estrategia, ya adentro, era poner el suéter en el asiento de al lado y, cada vez que alguien preguntaba "¿está ocupado?", instalar mi mejor cara de pendejosonrisas y decir: "Uh, sí, lo siento mucho. Es que mi novia fue por palomitas, ¿sabe? Ella es muy independiente, y le encanta ir por las golosinas." De esa manera, me dejaban en paz con una expresión de aceptación. Varias viejecillas se alejaron, satisfechas, al escuchar esa explicación. Podía imaginar que pensaban tranquilamente "qué muchacho tan atento", cuando en realidad lo único que me pasaba por la mente era clavarles un cuchillo en el pecho y retorcércelos ya adentro.

Aprendí que cuando estás solo en el cinematógrafo te sensibilizas. Ves cosas que los otros no ven. Tu oído se agudiza, se hace más fino. Quizá esto tenga una explicación racional; probablemente tenga que ver que no estás actuando para quedar bien con alguien o ser atento con tu acompañante o fingiendo ser considerado, no lo sé. Es posible que estés tan ensimismado, tan metido en ti mismo que repentinamente tienes tiempo para todos los demás, para escucharlos y observarlos como se merecen, aunque ellos ni siquiera se imaginan que lo estés haciendo, o siquiera lo hayan pedido.

A lo mejor es una más de las virtudes que tiene el ser invisible.

En mi caso, escuchaba más claramente las conversaciones de los compañeros de fila. Me enteraba de lo que no tenía que enterarme. Esto tiene una ventaja a corto plazo y una desventaja al mediano: te vuelves más empático con la gente porque estás ahí, escuchándola —y la mayor parte de lo que oyes son problemas, algunos graves y otros no tanto—. El lado oscuro es que, con el tiempo, te amargas. Te amargas porque te das cuenta de que, por muy xodida que sea su situación, ellos no están solos y tú sí. Ellos no son invisibles y tú sí. Ellos ven el color del mundo. Ellos disfrutan el color de las rosas. Tú no.

Al salir de la película solía ir a un Sanborns que estaba en el mismo mol. No cerraba en toda la noche, y aunque era el lugar ideal para conocer a alguien —sobre todo a la bola de losers que abarrota su bar de solteros—, yo prefería ir a ver los libros de superación personal. Es triste que a los veinticinco años tengas problemas para dormir o despiertes sintiendo que no descansaste una mierda, pero yo encontré que, al salir de la peli, una visita al mueble de libros de superación personal me daba un poco de paz: "Cómo hablar en público"; "Los economistas son de Júpiter, los periodistas son de Saturno"; "Cómo generar una inmensa riqueza en cuestión de meses"; "De qué forma aprovechar mejor las conversaciones telefónicas"; "En qué nos ayuda la creatividad y cómo potenciarla"; "¡Es tiempo de pedir un aumento salarial!"; "Cómo arreglar mejor los cajones (sin hacer bola los calcetines)".

Mira fijamente a los títulos que se venden y apréndete algunos. Luego, concéntrate en los más caros, los que están por arriba de treinta y cinco dólares, toca ligeramente sus pastas, siente el barniz UV lamer las yemas de tus dedos y trata de visualizar al hijo de perra que escribió el libro (búscalo en la contratapa, seguramente ahí estará su foto) sentado junto a ti en un gran desierto, ambos en posición de flor de loto en la cima de una inmensa duna, frente a frente. Después de contemplarlo por un par de minutos, grítale tan fuerte como puedas: "¡Yo no necesito esto! ¡Yo no necesito esto!"

TRES

Yo vivía en un departamento. Lo rentaba. Padre y madre dicen que rentar es una pérdida de tiempo y dinero, pero tampoco me ofrecieron otras opciones. Tienen propiedades en Naucalpan, pero ninguna en Saltillo. Padre y madre se confundieron porque todo el tiempo les hablé de Ramos Arizpe pero vivo en Saltillo. A padre y madre les costó tiempo entender que mi trabajo está en Ramos y mi casa en Saltillo. Son ciudades gemelas como, uh, Minneápolis y Saint-Paul. Y acá también nieva. De mi cama a mi oficina me separaban cuarenta minutos-tráfico. Los viernes llegaba a hacer una hora y cuarto, pero eso depende de qué tan lento fuera el rickshaw o qué tan nuevo el coolie en el trabajo. Pocas veces manejaba, como ya les había comentado. Después de un tiempo empecé a usar el auto, sobre todo cuando comencé a salir con ptitsas. Pero ya no era el Ford.

Saltillo es un lugar caro, pero, como dicen, hay que pagar por lo bueno. A veces ni siquiera pagas por "lo bueno", sino por lo que "es correcto". Para alguien como yo, recién desempacado y acostumbrado a otros parajes, Saltillo era lo correcto. Ramos es un xodido parque industrial de tres millones de habitantes, y yo no pensaba vivir en un lugar así. En cuanto me enteré —por los imbéciles compañeros de trabajo, claro— de que muchos esnobs de esta provincia aspiran a vivir en Saltillo y pagar esos xodidos precios tan xodidos, decidí que ése sería el xodido lugar al que yo pertenecería mientras la xodida corporación estuviera dispuesta a pagar por mí.

Tardé poco en encontrar este departamento que está adentro de una privadilla. Imaginen un Melrose Place. La referencia cultural es obligada, considerando que somos la Generación de la Cultura Pop Gringa. La casera era una gorda bienamable y pocaspulgas. Su esposo, realmente viejo, una especie de esqueleto con pelos blancos y trozos rosados de piel colgándole, siempre montado en una silla de ruedas. Por lo que veía, no hablaba español, sino una especie de dialecto del alemán, probablemente lo que parolean los indígenas arios en la Selva Negra. Todas las noches la buenacasera lo sacaba a pasear en su silla de ruedas, y yo escuchaba al carcamal parolear algo en su lengua de mierda. Durante la primera semana no me quitaba de la cabeza que podría ser Hitler, todavía vivo, recluido en un conjunto departamental en Saltillo, Coahuila. Mis sospechas crecieron cuando me pareció escuchar que respondía al nombre de Hister.

"¡Hister, Hister! Nadie sabrá lo que fue de él", recitaba mentalmente en la cocina mientras lo veía pasear por el Melrose Place al tiempo que me preparaba un licuado de fresa con papaya en un vaso de poliuretano de la película *The Lost World* en mi flamante *blender* Osterizer de dieciséis velocidades.

A la casera no le agradaba mucho la idea de que un veco tan joven y sin familia a la vista viviera solo en uno de sus congales, pero, de cierta forma, la corporación me daba "patente de corso": ellos pagarían, no yo (estaba en el paquete de prestaciones, *of course*), y eso terminó por darle confianza a la marrana bienamable. Lo siguiente fue equipar el lugar, hacerlo habitable. Eso significaba llenarlo de gadgets atascados de chips. Mientras más mejor. Aquélla fue una tarea que me mantuvo despierto y con cierta ilusión de hojear catálogos y ordenar basura por el Internet.

La peor parte fue conocer a mis vecinos. Resultaba que la privada estaba llena de "vecos interesantes" y "gente creativa". Repentinamente, me vi rodeado por todo tipo de especímenes con pretensiones artísticas, lo cual, en realidad, no es tan sorprendente. En algún momento de su vida, todo miembro de mi generación ha querido ser pintor, director de cine, músico Lollapallooza o, lo más típico, escribidor de estúpidas novelas y cuentos que nadie va a leer. La verdad es que todos los pintores acaban ilustrando para una revista de bebés, los directores de cine cargando cables en una casa productora de comerciales, los músicos haciendo yingols publicitarios y los escritores redactando reportajes mal pagados sobre la osteoporosis o cuál es la mejor computadora para la casa y la oficina.

Imagínenlo: mi Melrose Place estaba lleno de gentuza de esa calaña. Yo era, junto a los dueños de los otros departamentos, el más pragmático. Yo era Marlowe, y estaba rodeado por clones de Kurtz.

¡El horror, el horror!

Quizá fue en el día diecisiete de mi estancia en la privada cuando me detuve a pensar con más detenimiento en aquella situación, después de soplarme los discos de los vecinos a todo volumen —desde el celestial saxofón del hipócrita de John Coltrane hasta los grandes éxitos de la estúpida drogadicta de Janis Joplin— y ver pasar por mi ventana a todo tipo de tipín alternaquito. Me pregunté: ¿cómo pueden mantener un departamento de ciento sesenta y cinco metros cuadrados con DirectToHome, gas natural, electricidad, dos líneas telefónicas, pisos cubiertos por duelas y encortinado? Yo pagaba dos mil quinientos dólares al mes, así es que las explicaciones se limitaban a: 1) esos vecos eran realmente exitosos en sus pendejadas creativas de grupillos de rock, fotografía, literaturilla, actuación de mierda y pintura, o 2) a mí me estaban timando.

Si así eran mis vecinos, pensé con horror, entonces aquel lugar podría convertirse en toda una Nueva Atenas de mierda. Si Saltillo estaba infestada por pintores, directores de cine, músicos y escritores, a la vuelta de la esquina me encontraría con un prospecto de James Joyce, el próximo Orson Welles o un John Cage en potencia.

Cuatro Gatorades y medio después, y tras una sesuda meditación, llegué a la conclusión de que aquello era imposible. Los vecos que había visto en el Melrose Place eran más o menos de mi edad, lo que los hacía miembros de la Generación de Mierda. Y puedo asegurarles que, si juntan a toda mi generación en un gran molino y la hacemos papilla, no encontrarán diez miligramos de talento.

Somos La Generación Desprovista De Talento.

Uno de mis vecinos, el que vive junto a la reja, cronológicamente hablando pertenece a la Generación de Mierda, pero técnicamente es un cachún. Y no precisamente un cachún superado, sino un cachún consumado. Se quedó atrapado en la época de Cindy Lauper y The Reflex-FlexFlexFlexFlexFlex. El pelo le tapa las orejas. Usa botines Reebok y jeans con las costuras amarillas. Piensen en algún personaje de *Cachún Cachún Ra Ra,* como "Chicho" o "el Jagger". No hace nada, no se dedica a nada. Posiblemente estudia, pero eso es sinónimo de no hacer nada, claro. Aparentemente, en cierto momento de su educación perdió el piso, degeneró su actitud, desvió el rumbo. Quizá se retrasó en la escuela, salió con demasiadas ptitsas; en suma, faltó a sus deberes. Se convirtió en un fósil. Allá lo tienen al muy huevón, desempleado pero fornicando con sus compañeras de dieciocho años de la Universidad Metodista.

Ahora traten de imaginar mi frustración al regresar a casa por la tarde y verlo con dos ptitsas en el porche, fumando marihuana. Mientras yo negociaba contratos millonarios con corporaciones privadas y órganos gubernamentales, ese cabrón reprobaba por enésima vez la materia de estadística. Mientras yo autorizaba cotizaciones y redactaba sesudos memos, ese cabrón grababa episodios atrasados de *Daria* en el MTV de la costa este. Mientras yo me volvía un amargado y un alcohólico, ese cabrón organizaba excursiones pachecas a Zicatela o a Chacahua.

Pero no me malinterpreten. La actitud de semejante hijoputa podría traducirse como una demostración de heroísmo, la oposición a la norma de mi generación. Y sí, de cierta forma, mi vecino el que vive junto a la reja le había metido el dedo en el culo al estúpido que acuñó la expresión "proyecto de vida". De acuerdo, pero ser un "sátrapa" (ah, entrecomillar las palabras es tan entretenido) no es lo que yo consideraría más interesante. La vida en el campus puede llegar a aburrir. No me imagino con treinta y dos años y aún estudiando, el cabello comenzando a caérseme, las erecciones ya no tan constantes. Y, lo peor, no entender a las nuevas generaciones, a los vecos de diecisiete, dieciocho años. Dejarlos ver cómo vas envejeciendo. Ellos, jóvenes y sanos, en primera fila, observando cómo te pudres. Bueno, no veo la diferencia entre un veco que se pasa décadas estudiando una misma carrera y uno que pasa décadas acumulando másters y doctorados que jamás servirán de algo.

Un fósil y un bastardo con un currículum académico kilométrico son igual de mierdas.

Pero la cuestión del vecino que vive junto a la reja me abrió los ojos. Alguien debería pagarle tanto el departamento como la universidad. Lo mismo pasaría con el resto de los vecinos. En lo último tuve toda la razón.

En el Melrose Place vivían también dos parejas casadas. Una de ellas ocupaba el departamento que estaba al lado del mío. Eran relativamente normales: poseían un fido, un radio, un futón, un PlayStation que seguramente nunca usaban, un buen colchón, un perro, un par de hámsters, un fridge, un microwave. Ambos eran fotógrafos. Sí, a blanco y negro, y con técnicas bien cabronas. Nada que ver con mis fotos digitales de mierda. Pero lo peor es que los dos seguían juntos y, aparentemente, pasándosela muy bien. Seguramente ese par, muy calladito, ha visto a sus amigos sacarse los ojos y mandarse al ojo del culo, y a otros tronar y regresar, tronar y regresar, tronar y regresar, y a otros cometer adulterios, y han estado en las bodas de todos, tomándose fotos, bebiendo tequila, bailando quebraditas, volviendo temprano a casa. No es algo que sepa con seguridad, pero sí me imagino que también presenciaron las estupideces que hice con Midyet.

Eran unos vecos de miedo, sin duda. Me daban miedo, no sólo porque creían que la fotografía era un arte (Dios, qué bajo pueden caer algunos), sino porque eran espectadores, aristotélicamente equilibrados y justos. ¿Quién puede ser así, qué clase de monstruo es capaz de hacer eso? No puedo confiar en los vecos que siempre se van cuando la peda está mejor, en los que nunca se apasionan por una discusión y, sobre todo, en los que no se meten con nadie. Esa parejilla normal no se dejaba enredar en nada ni con nadie. Su disfuncionalidad radicaba en que no eran disfuncionales.

La plaquita que estaba afuera de su departamento decía "Bienvenido a casa". Era una mierda. Su perro se llamaba Pilford. Esto lo sé porque los escuché gritarle a medianoche "¡Ven Pilford, ven!", y aquello era tan dulce que te daban ganas de patearles el culo. Y cuando los espiaba por la ventana veía que ella tenía como reyes a esos dos jediondos hámsters que la acariciaban y jugaban con sus deditos llenos de anillos de plata de Taxco, y se dejaban que les cambiaran la viruta y les pusieran agua y les dieran palitos de madera sintética para jugar. En lo personal, pienso que son otro gran pedazo de mierda.

Tanta armonía hace que me duela la gulivera.

La otra pareja vivía en el depto que estaba exactamente del otro lado del mío. La mujer sí era totalmente disfuncional, por lo que cuando pienso en su vida me siento a gusto, tan a gusto como cuando descargas veintiséis litros de orina intoxicada por tequila. Ella trabajaba de día y de noche. Tenía un empleo en alguna parte de Saltillo, y en la tarde atendía a una bebé, presumiblemente suya. Su marido era escritor. Lo sé porque llegaban hasta mis oídos los xodidos golpes en las teclas, en la hilera de QWERTYUIOP´‘' y en la de ASDFGHJKLÑ;. Él era de esos imbéciles que se enchufan a una terminal y no le prestan atención a nada en todo el xodido día. Ella le hacía la cena, le lavaba los pies, le quitaba el control remoto del fido cuando se quedaba dormido, lo conducía a la cama, le limpiaba la saliva que dejaba en el futón.

Lo curioso es que sé que no podían hablar. Por supuesto yo jamás crucé media palabra con ellos, pero sé que realmente no podían hablar. No entre ellos.

¿Cómo lo sé? Bueno, recuerden que la invisibilidad te agudiza el oído. Para fines prácticos les puse nombre, aunque como nunca platiqué con ellos, en realidad no puedo decirles cómo se llamaban. A él le decía el Sr. Mary Lee y a ella la Sra. Mary Lee.

Ahora, la historia de por qué no hablaban entre ellos, de por qué esos cáusticos silencios. ¿Se habían peleado a muerte? ¿Se detestaban? ¿O era una de esas pavadas como de monasterio budista? No. La verdad es que el Sr. Mary Lee era mudo. El Sr. Mary Lee fue prisionero de guerra. El Sr. Mary Lee estuvo encerrado en un campo de concentración, fue POW en Chiapas, donde lo torturaron y le sacaron la lengua. El Sr. Mary Lee no podía hablar.

Ahora bien: yo sé que no tiene sentido que un veco de veinticinco años haya sido POW en Chiapas, pero lo cierto es que no hablaba con su esposa. Bueno, la verdad es que no hablaba con nadie. No que me importara tener grandes conversaciones con ese patán, pero sí es una lástima no poder parolear con quien te casaste, sobre todo cuando tienes algo interesante que decir en caso de que tengas algo interesante que decir. Lo patético del asunto es que a mí me sucedió algo similar muchos meses después, pero mi esposa no era muda ni había estado en un campo de concentración chiapaneco.

En el caso de mis vecinos, y por favor no se rían, la situación alcanzaba la categoría Sófocles Tienes Que Ver Esto: si la Sra. Mary Lee avisaba "ya está lista la cena", el Sr. Mary Lee respondía: "¿jhhgfskjhj?" Y si la Sra. Mary Lee comentaba "qué lindo atardecer", el Sr. Mary Lee decía "gvnlfdjkñlç". A mí me parece una desgracia, pues la Sra. Mary Lee es bonita, y a las mujeres bonitas se les debe llenar de halagos y flores, pero luego entendí que cada quien tiene lo que se merece.

Bien, estos diálogos se dan en el entendido de que el Sr.

Mary Lee no tiene lengua. Por mi parte, mi esposa sí tenía lengua, pero al dirigirse a mí parecía que la había perdido o que algún ratón, como rezan los dichos populares, se la había comido enterita. Si yo le preguntaba a Midyet "¿qué hora es?", su respuesta era: "ldkkjbsñlk."

Esas felices coincidencias.

La Sra. Mary Lee, extrañamente, o quizá no, era feliz con su botijón. La Sra. Mary Lee era feliz con su saco de lonjas. La Sra. Mary Lee era feliz con su bebé dientesdeleche. La Sra. Mary Lee era feliz con su niña ojos chuloschiquitos. ¿Y quién pagaba por el departamento? Bueno, mi hipótesis es que el escritorcillo era el mantenido. Algún tío mecenas o sus apás le solapaban el vicio. Más razones para que la Sra. Mary Lee no se quejara un pito. En el caso de la pareja normal de al lado, es mucho más claro: ella es la niña consentida de papito, y recibe todo tipo de dádivas de él, incluyendo, seguramente, el departamento.

Ahora traten de verme viviendo en ese lugar. Pongan un disco de Woody Allen, imaginen una escena en blanco y negro, de preferencia en una película de dieciséis milímetros, y véanme salir de un rickshaw amarillo, probablemente un Caprice, o un Crown Victoria, pagar con un billete de cincuenta dólares, desanudar la corbata, sostener el portafolios, entrar en el Melrose Place y observar, mientras camino por una veredilla, las ventanas de los departamentos de mis vecinos. Traten de visualizarlos en sus felices vidillas de mierda entrando y saliendo y cagando y comiendo y bebiendo y meando y durmiendo y despertando. Ellos en la vida, yo afuera. Yo, estoico, escuchando sus problemas desde mi recámara gracias a mi oído biónico. Yo, invisible, alucinando sobre Hister y la Casera Eva Braun desde mi nidito de soledad. Yo, el gran fisgón. Yo, el Fisgón Hombre Invisible.

Así pasé, en un mundo gris, solo, más de un año. Me cambiaron el Ford por un Audi. No me gustan los autos europeos, sobre todo porque sientes que en cualquier momento les vas a romper algo, pero debo admitir que son buenos para atraer ptitsas. Así, repentinamente, me vi en una de esas rachitas de te presento a alguien, vamos a probar una maldita cita a ciegas, hagamos el intento, parece que esta ptitsa sí me gusta, aparentemente ahora sí va a funcionar.

Salí con varias tipas, pero todas eran muy complicadas. Una estaba insatisfecha con su empleo y quería irse al Viejo Continente a mamar verga con un máster o un doctorado (claro) o no sé qué. Otra me advirtió que estaba casada con su trabajo y por nada del mundo pensaba dejarlo por satisfacer los deseos de un cheloveco. Otra era una ejecutiva que se la pasaba viajando, y nuestras citas se limitaron a un par de cafés y algunas conversaciones telefónicas y correos, si a eso se le puede llamar conversar. A ninguna le agradaba la idea de pasar el día entero en el cinematógrafo, y nunca fui capaz de llevarlas a mi departamento. Ni una sola, desafortunadamente, tenía intenciones de casarse.

Sí, desafortunadamente. Lo mierda del asunto es que terminé contrayendo nupcias con una perra que es todo lo que acaban de leer, y un poco más. Y ella sí tenía intenciones de casarse.

Aunque salí con varias de estas tipas e incluso fingía divertirme o interesarme por sus pendejadas corporativas, sus "planes de vida" ("claro que deseo tener hijos, pero ahora no es el momento") y sus "objetivos" ("alcanzar un óptimo desarrollo profesional"), no me la pasaba bien. La vida continuaba en grises. A veces acercarte a alguien te hace alejarte más de todo. Con ellas, llegó un momento en el que súbitamente me vi no sólo en grises, sino en un constante *slow motion*. Leeeeeeento. Todo era leeeeento. Levantaba pesadamente la taza de café. El humo del cigarrillo se distribuía con parsimonia por el bar o restorán en el que estuviéramos. Ir al baño era una hazaña, una épica homérica de doce tomos para llegar, encontrar lugar, bajar el zipper, orinar, subirlo, poner las manos en el lavabo, manosearlas con jabón...

Y entonces, con la última tipa con la que salí, una periodista más aburrida que la mierda que cago a diario, me di cuenta de que continuaba siendo invisible. Esperando mi Euromierda en el valet parking, pensando en la asquerosamente tediosa noche que había pasado, me paré frente a la tipa y le dije que era la perra más superficial, fea y pendeja que había conocido en mi vida, y que prefería pasar el tiempo leyendo la Sección Amarilla a estar con ella.

No hizo nada. De hecho, su rostro ejecutó un par de muecas insaboras, de esas que hacemos inconscientemente cuando estamos solos, como parpadear seis veces seguidas, o mover ligeramente para arriba un pómulo, y luego miró aburrida su reloj de muñeca, como diciendo "a qué hora llegará el auto".

Agité mi mano frente a su cara, y no encontré respuesta. Aplaudí un par de veces y no pasó nada.

Simplemente yo no estaba ahí. No estaba ahí para ella. Cuando llegó el Audi corrí hacia él, entregué el boletillo y salí disparado de aquel lugar. Y vaya que esos carros son veloces.

Aquella noche, solo en casa, bebiendo un Absolut helado y viendo las luces de Saltillo por el balcón, me sentí igual de melancólico que Harrison Ford en *Blade Runner*. Ya saben, cuando se despacha a una "portapieles" y le entra un ataque de conciencia. Bueno, así me sentía. Me figuraba que esa noche, armado con una *Steyr/Mannlicher* austriaca con balas expansivas de nueve milímetros, había asesinado a una androide semidesnuda en las calles de Abasolo y Pérez-Treviño. El *slow motion* había desaparecido, pero ahora una música árabe, una cítara y unos cánticos del Corán me llamaban a un lugar seco y oscuro, quizá en la zona musulmana de Jerusalén, o en Damasco, o en Estambul, o en Bagdad, a una mezquita olvidada, a rendir cuentas.

Esa música es como la voz de serpiente de Dios llamándote. Tú, criatura de mierda, sin valor. A rendir cuentas.

Cuando estaba en la universidad me jactaba de poseer una asombrosa capacidad para enamorarme, de hacerme ilusiones, de generarme escenas irreales acompañado de mujeres que me atraían físicamente. No me costaba mucho trabajo verme al lado de una ptitsa, compartiendo la cama, el escusado, la nevera. Podía conocer a una batuchka y en un par de minutos fantasear cómo sería mi vida con ella, crear imágenes de mí mismo con dos lepes en una vanette, de mí mismo en el altar, de mí mismo comprando víveres en el *grocery*, de mí mismo en la luna de miel, de mí mismo haciendo el amor con esa desconocida. Procreando y compartiendo la vida. Cuando estaba con una ptitsa me comportaba como un estúpido, encantado con su honesta belleza, y de mi boca no surgía nada más que balbuceos.

Y ahora ya no podía. Y esa música árabe no se apartaba de mi mente. La música árabe te hipnotiza.

Por supuesto se saben el cuento del té en el Sahara. Dos hermanas tomando té en el Sahara. Yo era una de esas hermanas, sentada en mi silla de peltre con mi mesita mona y mi tetera británica y mis galletas porosas.

La noche cayó y ahí seguía solo, en las dunas. Nadie iba a mi té, a mi particular té en el Sahara. Sólo la voz de serpiente de Dios.

Entonces conocí a Pixie. Pixie sí acudió a mi particular té en el Sahara.

Como suelen ser estas cosas, nuestro primer encuentro fue fortuito. Se dio entre semana, lo que rompió mi idea de que las mejores cosas de la vida pasan en sábado, y no precisamente por el fido. Me habían llamado a una junta de mierda en el gran salón de piso de madera de Saskatchewan y mesa de vidrio de Caleta del piso chorrocientos. Junta con un clown de mercadotecnia, ya saben, ese tipo de pendejos que se creen los chamanes de hoy. Como si a alguien le importara una mierda lo que dicen o creen.

El proyecto que nos presentaban en esa junta era una gran mierda también. Era, según el clown, la Gran Popó. Para un clown mercadólogo todo debe de ser lo más grande, lo más impactante, lo más elaborado, lo más fuerte. Algo nunca antes visto. Nos pasó una cinta de VHS mal doblada y copiada, y el botón del *tracking* del control remoto se había descompuesto

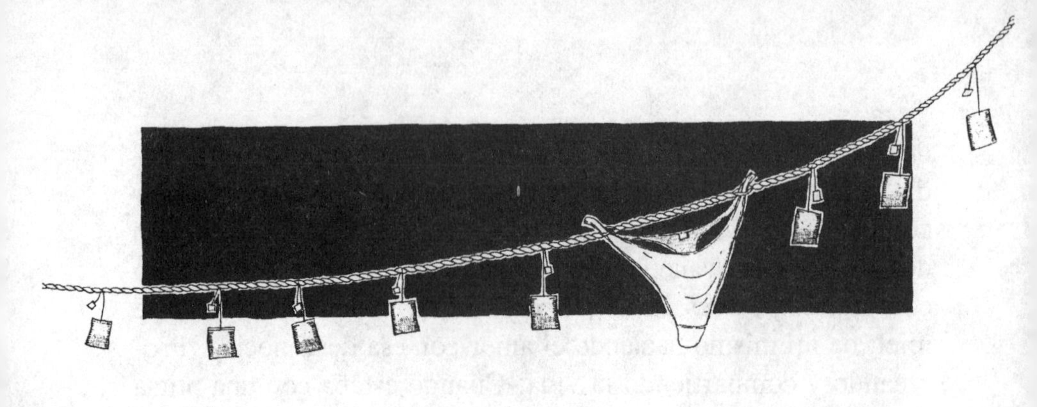
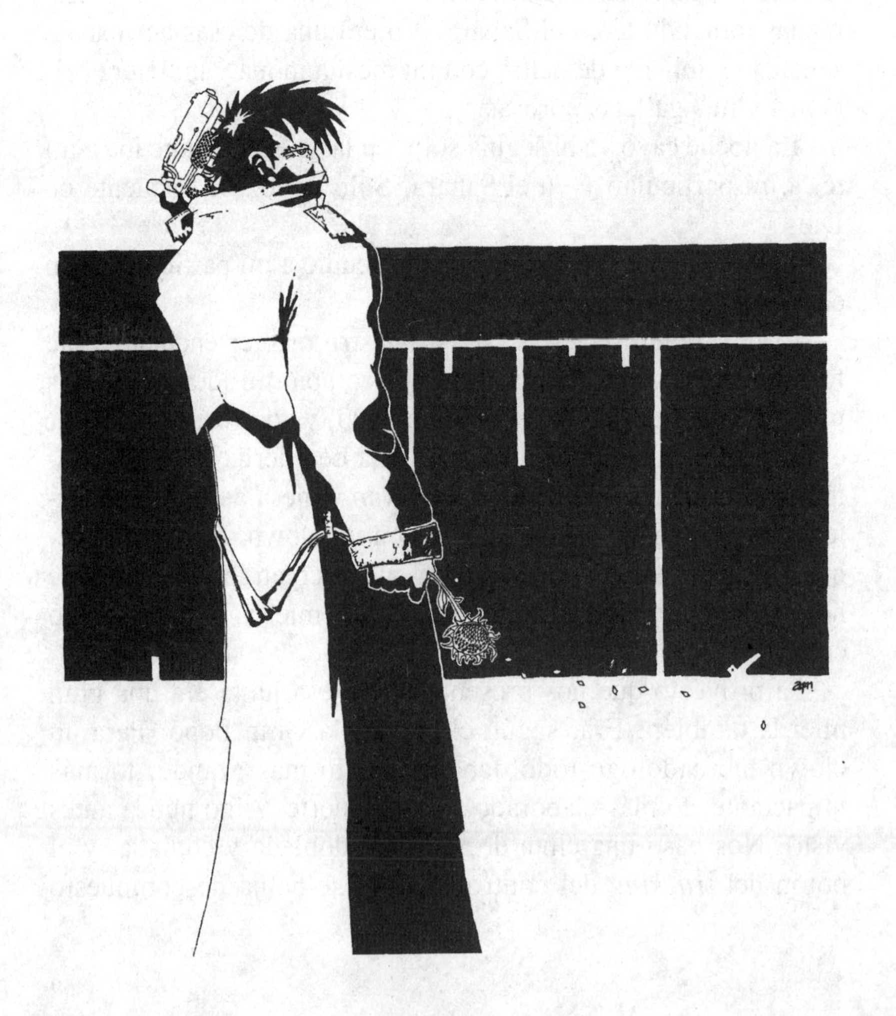

(según supe por un memo de mantenimiento que por un error en el servidor se desvió hacia mi buzón). Y allá ven al estúpido tratando inútilmente de arreglar todas esas rayas y fuzzzzz y fuzzzzz y más fuzzzzz, levantándose de su lugar, frustrado, caminando unos treinta y nueve pasos hasta la VCR para mover manualmente el *tracking*. Al finalizar el fallido video, se dedicó a vomitar algo sobre una "fusión" (ah, otra palabra que adoro) entre la compañía y una empresa enana que seguramente estaba al borde del caos financiero y que vio en la "fusión" su única salvación y arregló todo para que públicamente se manejara que aquello había sido una "fusión" y no una "adquisición". Por supuesto, el clown de traje Príncipe de Gales, mocasines negros y corbata Hugo Boss había sido parte de la ahora difunta empresa enana que desde aquel día, ajá, pertenecía a nosotros.

Si soy vicepresidente de la compañía antes de los treinta, veré que estas "adquisiciones" se contemplen en el departamento de PR como tales y no como "fusiones", pues las "adquisiciones", según leí en *Fortune*, a la larga y en un contexto bursátil tienden a debilitar más al "adquiridor" que al "adquirido"; o como en este podrido caso, al "fusionador" que al "fusionado".

En fin, con el barato argumento de ya somos hermanos, el clown quería todo. Todo. Ya soy de la familia, es justo que me des el culo. Ya soy miembro del clan, es justo que me bañe contigo y te arranque el jabón de las manos.

En suma, Lagrimita quería aprovecharse de la gente de mi departamento. Me sentí como en octavo grado, cuando un amiguín se fue a dormir a casa y de buena gana le dejé jugar Atari y al rato me di cuenta de que no me dejaba tomar el control. Me sentí ultrajado, y por un simio que había estudiado mercadotecnia; era posiblemente tres meses más joven que yo y quizá ganaba unos quince mil dólares anuales menos.

¿No podía estar en una situación más degradante?

Un poco mareado, tomé mi Palm y me dediqué a hacer garabatos en el graffitti. Después, concentrado en el clown, empecé a escribir insultos: "rompecatres", "comejaibas", "porfiriano", y luego "chinga tu madre pendejo te odio cogido por el ano por la merca/

"¿Qué opinas, Cuki?", me preguntó mi jefe.

En .7 segundos cerré la Palm y de uno de los archivos que guardo en un fichero que está junto a la zona blanda del cerebelo extraje la Respuesta Corporativa de Emergencia Cuarenta y Dos:

"Todoestosuenainteresanteperodeboconsultarlosdetallestécnicosconlagentedemidepartamento."

¿Lo pueden ver? Sin otorgar concesiones, fui lo suficientemente ambiguo como para dejar la duda sobre la mesa de vidrio de Caleta y esculpir una magistral sonrisa en mi pretoriano jefe.

Un poco más tranquilo, empecé a tararear, "*they call me The Seeker*". Vaya que The Who sirve en esos momentos.

Ya totalmente frío, observé los atasques verbales del clown, incluyendo un exceso de frases y palabras en inglés. ¿Se han dado cuenta de lo mal que sonamos, de lo mal que nos vemos al mezclar en nuestro léxico diario palabras en inglés? El clown incluía en su discurso términos como "touching", "cute", "lovely", "slash", "peanuts", "fee", "manager", "exposure".

Era suficiente. De nuevo me hizo sentirme *sick*.

Emputado, me levanté y muy cortésmente pedí disculpas y salí a toda velocidad de la sala de juntas. Okey okey, tú ganas, Gran Simio de la Mercadotecnia, Gran Druida del Target y el Posicionamiento y el Nicho de Mercado.

Corrí al Ágora del Cáncer. Como siempre, montado en el Gran Dios Cenicero, estaba Putrefoy, el de Recursos Humanos. Lo saludé y me busqué los cigarros en donde deberían estar, la bolsa interior izquierda del saco.

No los encontré.

Como coach de tercera base mandándole señales al corredor en posición de anotar, me manoseé de arriba abajo el saco, la camisa, el pantalón, los huevos y hasta los calcetines. ¿EN DÓNDE ESTÁN MIS PUTOS CIGARROS?

Respiré. Me volteé hacia Putrefoy y muy decentemente le pedí uno de sus pitillos de homosexual. Vantage, por supuesto. El muy cabrón pareció disfrutar aquello, y abrió la cajetilla de marica ante mí. Yo, el muy prostituto, lo tomé y lo prendí y le di una fumada, si a eso se le puede llamar una fumada.

Comenzamos platicando del último juego de los Lakers, pero a la mitad del segundo cuarto Putrefoy comenzó a tirarme alguna mierda de la compañía, algo de bonos y memos y esas xodencias, y súbitamente me vi entre la espada y la pared: o fumaba Vantage y conversaba con esa zarigüeya corporativa o regresaba a la junta.

Preferí abandonar el edificio. Tomé un rickshaw al mol.

¿Miedo de lo que podrían decirme? Por favor, los hombres invisibles no les tememos a las reprimendas.

Ya en el mol, corrí al cinematógrafo y, una vez ahí, me dirigí a la taquilla y pedí un boleto para el último bodrio de Drew Barrymore. Una masturbadita, pensé, y regreso a la oficina.

Así conocí a Pixie.

Pixie a veces atiende la taquilla, a veces la dulcería, a veces la cafetería y a veces la hace de cácara, pero en esa ocasión, bendito destino, bendito karma, benditas moiras, estaba de pie, en la entrada de la sala dieciocho, recogiendo los boletos.

Ahí estaba Pixie, muy derechita, con sus khakis, con su playera polo azul marino, con su gorra, con sus redondos ojos cafés, con su nariz respingada, con su cuello de ganso.

Waterfall.

Ahí estaba Pixie.

Y yo, al verla, me sentí en Maui.

Así conocí a Pixie.

Pensé por qué no la conozco, por qué si vengo tan seguido a este cine nunca la había visto. Claro, me dije al caminar hacia ella, jamás vengo a esta hora, ésta debe de ser su hora, la Hora Feliz de Pixie.

Todavía no me decía su nombre.

"Que disfrute la función", paroleó cortésmente al partir en

dos mi boleto. Y al entrar en la sala, por un segundo, los grises habían desaparecido. Me senté en la cuarta fila, en la que Peter Greenaway dice que es la mejor para ver una peli. Miré la inmaculada pantalla. Me observé desde arriba, desde afuera.

Me vi solo, sentado en la cuarta fila, la de Greenaway. Solo en esa sala. Tenía que verla de nuevo. Tenía que inventarme algo. ¡Palomitas! ¡Palomitas!

Así es que salí. Pixie seguía en su lugar. Le dije que tenía un problema.

"¿Qué problema?"

Le dije que no estaba el carrito de la dulcería, el que lleva palomitas y refrescos y golosinas.

"¿Ah, no?"

Le dije que si por favor lo llamaba. Que era algo urgente.

"Pero eso no es necesario porque la dulcería está aquí al lado", y a tres escasos metros de nosotros se erguía el pendejo antro de rosetas de maíz pop pop pop.

Enfadado, le volví a pedir el carrito porque, si no lo hacía, podría perder mi asiento. El que se fue a La Villa, tendrá que ver la película de pie.

"¿En serio?"

Pixie, entonces, se introdujo en la sala y yo me fui detrás de ella, cual perrito maltés. Admiré su espalda y sus caderas y hasta sus nalgas. Se detuvo bajo la pantalla y, sonriendo, hizo un ademán con su desnudo antebrazo derecho.

"No hay nadie."

Respiré profundamente.

Pixie se quitó la gorra (cabellos rojizos, hermosos) y se rascó la cabeza. Arqueando las cejas, paroleó: "De ninguna manera voy a mandar traer el carrito de la dulcería." En ese momento, intenté el ruin chantaje de al cliente lo que pida, pero Pixie sólo se limitó a sonreír y a preguntarme "¿cuántos años tiene?" Le respondí que tenía veinticinco. Ella sólo atinó a mover la cabeza de un lado a otro. "No es una buena edad", me dijo, "tanto emocional como creativamente hablando".

Guau.

Por primera vez en mucho tiempo me sentía interesado por lo que alguien más tenía que decir, y le tuve que preguntar cuál era, según ella, la mejor edad.

"Los veintisiete", afirmó sin parpadear. "Es la edad perfecta, los perfectos veintisiete. Realmente Jesucristo inició su edad pública a los veintisiete. Steven Spielberg tenía veintisiete años cuando filmó *Jaws*."

De ahí saqué eso.

Las luces comenzaron a bajar. "Ya va a comenzar la función", dijo al alejarse, "mejor apúrese, no le vayan a ganar su lugar". Corrí hacia ella, la detuve, le pedí que no me hablara de usted, le pregunté cuántos años tenía y la invité a ver la película conmigo.

"Tengo que trabajar", declinó cortésmente. "Y tengo veintidós años."

Ni siquiera llegué a la mitad de *Never Been Kissed*. No llegué a ver cómo Drew se come el pastel de marihuana en el antro y sube al escenario a darse de nalgadas. Salí de la sala, y no precisamente a orinar. Busqué a Pixie por todo el lugar, y cuando la hallé le pedí que, por favor, por lo que más quisiera en el mundo, aceptara acompañarme a tomar un té en el Sahara.

Pixie, extrañamente, dijo que sí.

Le alcancé la silla de peltre y pidió su té con mucha azúcar. Conversamos un buen rato y luego vimos cómo el viento cambiaba la forma de las dunas.

La música árabe había desaparecido.

Así fue como conocí a Pixie.

¿Cuándo fue la última vez que alguien te hizo sentir bien? ¿Cuándo fue la última vez que te dijeron un piropo? ¿Que elogiaron tu trabajo? ¿Que te dieron una palmada en la espalda? ¿Que alabaron lo limpio que dejaste el auto? ¿Que te dijeron lo orgullosos que están de ti por haber pasado un examen? ¿Cuándo fue la última vez que te recibieron con una sonrisa al llegar a casa? ¿Que te dijeron "qué bien te lucen esos zapatos", o "qué bueno que te cambiaste el corte de pelo, TE VES MEJOR"? ¿Cuándo fue la última vez que alguien te escribió una nota encantadora y la dejó en tu portafolios, en el monitor de tu computadora, en el limpiaparabrisas de tu auto? ¿Cuándo fue la última vez que te agradecieron que regresaras a la butaca cargando una bolsa de palomitas y un refresco? ¿Cuándo fue la última vez que alguien te dijo que te necesitaba? ¿Que te hicieron ver que eres importante? ¿Que sin ti el mundo no sería el mismo, que estaría incompleto? ¿Que podrás ser imperfecto pero que para esa persona eres sublime?

CUATRO

Cuando estaba con Pixie me sentía como cuando Alvin Harper atrapó esa bomba de Troy Aikman en el cuarto cuarto del juego de campeonato de la Conferencia Nacional entre los Vaqueros de Dallas y los 49s de San Francisco en 1992. Alvin jugaba con Dallas, por supuesto. Todavía no lo transferían a Tampa Bay.

Cuando estaba con Pixie yo era Sonic the Hedgehog, era Mario, era Donkey Kong, era Crash Bandicoot, era Pac-Man. Y ella era Claire Redfield, era Regina, era Aya Brea, era Jill Valentine, era Joanna Dark, era Lara Croft.

Cuando estaba con Pixie yo era el Pumpkin y ella era la Honey Bunny y juntos asaltábamos un merendero. Al salir de un café en el centro de Saltillo, un martes según parece, vimos pasar a Quentin Tarantino con un vaso de once onzas de agua de mango. Cuando estaba con Pixie yo era Jules Winnfield y ella era Vincent Vega, si es que alguna vez pensaron que Jules Winnfield y Vincent Vega se atraían sexualmente.

Está bien: cuando estaba con Pixie yo era Vincent Vega y ella era Mia Wallace. Claro que a Pixie le gusta mucho bailar, y yo no tengo ni un gramo de la gracia de Travolta.

Cuando estaba con Pixie la sangre me hervía. Es una estupidez decir que la sangre te hierve, pues si te pasara eso seguramente morirías en dos segundos. Pero así me sentía. No pensaba en nada. Pensaba en ella pero no pensaba en ella. Así pasa cuando te hierve la sangre.

Basta con una llamada telefónica. Burp burp, la sangre en ebullición. Setenta, ochenta, noventa, cien grados celsius. Un roce de su voz por la fibra óptica y me pongo a temblar.

Durante ese tiempo, la única persona que supo de Pixie fue mi peluquero. Mi peluquero se llama Naomi. Naomi es un veco de uno noventa y seis con tetas postizas, nalgas paradas de silicona, rubia mata de Miss Clairol y un rostro francamente perturbador para un hombre. Digo, perturbador si eres heterosexual y te jactas de ello y luego miras ese rostro tan atractivo.

¿Por qué es atractivo?

No porque sea masculino sino porque es muy femenino.

¿Y es agradable?

Muy agradable.

¿Naomi tiene pene?

Sin duda. Sin duda tiene pene.

¿Es grande?

Supongo que sí.

¿Y en dónde lo esconde?

Lo debe de torcer hacia su ano, y fijarlo o amarrarlo o asegurarlo con calzones apretados. ¡Y de ahí no te mueves cabroncillo!

Pero ésas son meras especulaciones. Nunca he visto el pene de Naomi. Ni tengo intenciones de verlo.

Naomi es cool.

Bastante cool.

Bastante cool para un maricón con cuerpo de guardia de los Celtics y rostro de top model. Alguien con una descripción así debe de ser cool.

Los putos son cool.

Por supuesto yo nunca hablo con él, pero él tampoco hace preguntas. Naomi es un peluquero callado. Y ésa es una virtud que debe apreciarse en un peluquero.

Pone sus casetes de metal de cuarenta y cinco minutos de Ricky Nelson en una vieja grabadora de doble cinta y aprieta play. Y a cortar pelo.

Tris tras. A cortar pelo.

Él sabe cómo cortarme el pelo.

"*Going down to Lonesome Town, where the broken hearts stay, going down to Lonesome Town, to cry my troubles away.*"

Súbitamente, las canciones de Ricky Nelson cobraban sentido.

El mundo de Naomi es apasionante. Mucho más interesante que mi pendejo trabajo de mierda, claro. La máquina de afeitar más empleada en el negocio es la Philips con cuatro piezas intercambiables, pero Naomi usa una Harman-Kardon no sólo con seis piezas intercambiables, sino conexión AC y opción para pilas recargables.

Así es, Harman-Kardon fabrica máquinas de afeitar. Y la suya es compatible con pilas *Stamina*. Me han dicho que las Energizer Lithium son mejores, pero yo me quedo con Sony. Si Naomi se queda con Sony, yo me quedo con Sony.

Soy un veco voluble.

La mejor cualidad de Naomi es que escucha. Es callado, pero sabe escuchar. Normalmente la gente que sabe guardar silencio sabe escuchar. No todos saben guardar silencio. Sean peluqueros o no.

Yo no me corto el pelo con nadie más que con Naomi. A veces tengo que esperar cuarenta, cincuenta minutos a que termine con otros clientes, pero no me importa. Prendo un cigarro y me pongo a ver los aparadores del almacén Simon que está al lado de la "estética", esperando a que llegue un pendejo guardia de seguridad a pedirme que apague mi colilla porque adentro del mol bla bla bla.

A veces siento cómo Naomi me pega su gran camarón al brazo. Eso pasa cuando te trabajan las sienes. Cuando te trabaja las sienes un peluquero, claro, pues si fuera peluquera no te estaría pegando el camarón, sino la panocha.

Cuando vives veinticuatro horas con un pene te das cuenta del momento en el que alguien te está arrimando uno. Pero yo lo entiendo. Si eso lo motiva a cortarme mejor el pelo, ni hablar. Vengan esos sacrificios. Yo sé lo que es trabajar sin ninguna motivación.

Yo sólo me corto el pelo con Naomi.

Súbitamente, me vi hablando con Naomi.

Yo le platicaba a Naomi de Pixie.

Durante esa época me la pasaba también en la matiné, conversando con Pixie pero tratando de no quitarle demasiado tiempo. Contemplaba su honesta belleza pero intentaba no hostigarla. Mi jefe tomó esas escapadas matinales como un nuevo método que su ratita de laboratorio recién salida de la universidad estaba experimentando. El muy pendejo. Puedo imaginar a sus asistentes diciéndole no preguntes, estas nuevas generaciones saben lo que hacen y si lo hacen mejor a su modo es preferible dejarlos ser.

Los muy pendejos de mierda.

Pixie era muy celosa de su trabajo. Pixie era responsable de vaciar la máquina de palomitas, de doblar cuidadosamente los tetra-briks de caramelo y aventarlos al bote de reciclaje, de probar el SDDS, el DTS, el THX y el DD-EX antes de cada función, de recortar pulcramente los bauchers de la impresora cada vez que un cliente pagaba con tarjeta de crédito. Les sorprendería saber cuántos vecos pagan sus boletos con tarjeta de crédito. En lo personal creo que es vulgar que un cheloveco invite a su chica al cinematógrafo y el muy macarra no cargue dieciséis dólares en efectivo para pagar. Es una gran mamada. Pero ésa es mi opinión.

Pixie no tenía opiniones al respecto. Su única opinión era hacer bien su trabajo.

Envidiable.

Yo me moría de ganas por pasarme detrás de la taquilla, ponerme una gorra, la polo azul marino y atender a los parroquianos. Aquello me llamaba mucho más la atención que estar enchufado a un par de máquinas todo el día, respondiendo e-mails y llamadas y firmando memos y asistiendo a juntas de brainstorming a través de una *webcam* con corbatudos desperdigados por toda la provincia.

Con esos antecedentes, suena más interesante trabajar en el cinematógrafo.

Entre semana, por las mañanas, la clientela consiste principalmente en vejetes retirados. A veces llegan grupos de ruquillas, a veces parejas de esas que llevan décadas juntas; a veces, uno que otro carcamal solo, armado con el periódico o su cara de amargura.

Más asombroso que el asunto de las tarjetas de crédito es el de los vejetes, porque uno pensaría que emigrarían del extremoso clima de Saltillo para irse a vivir a la Florida o a Quintana Roo, pero la verdad es que siguen aquí. Los pasitas siguen aquí.

Un día, miércoles según parece, me metí al baño, ese sagrado lugar de meditación, a mear. Se estaba lavando las manos un ruquín que, por lo que observaba, había ido al cinematógrafo con su esposa, una babuchka igual de arrugada que él. El tipín chiflaba una melodía. Luego la tarareó.

Me parecía que era una canción de Leo Sayers.

Al ver semejante despliegue de adolescencia, me pregunté si a su edad yo lograría estar igual de contento, animado por ir con mi retirada mujer al cinematógrafo y tomarle la mano e invitarle un café o una soda. Lo vi salir del baño moviendo ridículamente las rodillas, como si quisiera bailar, tarareando otra melodía.

Podría jurar que era "*You Make Feel Like Dancing*".

Ahora imagínenme regresando a mi aburrida oficina de muebles importados y aire acondicionado y cables Fire Wire y videoconferencias y protocolos de operaciones.

Yo quería un trabajo como el de Pixie. Yo envidiaba el trabajo de Pixie. Ella ganaba unos ciento cuarenta mil dólares menos al año, pero era más feliz que yo. Y ciertamente más inteligente.

Lo último no es muy difícil.

Pixie es una mujer hermosa y educada y también adinerada. El padre de Pixie es senador. Pero yo le digo el cenador porque es un gran cerdo de ciento veinte kilos, altísimos niveles de colesterol malo (con el colesterol no pasa lo de la envidia, aquí sí hay uno bueno y uno malo) y una papada tan grande que podrías escribir en ella un culebrón a la Tolstoi en tipografía Arial y a catorce puntos.

El cenador tiene miles y miles de dólares en el banco.

Mis impuestos, y los tuyos, trabajan para él.

Por supuesto el cenador me caga los huevos. Pero su hija menor es maravillosa. Su hija menor es una ptitsa hermosa y educada y adinerada. Su hija menor estudió una carrera universitaria y al graduarse le avisó que no tenía ninguna intención de "desarrollarse profesionalmente" o de iniciar una "carrera corporativa". Su hija menor decidió no tomar grandes decisiones, no tener "objetivos", no formarse "planes de vida".

Su hija mayor, en cambio, es una gran puta.

Es La Gran Puta y La Gran Cabrona.

Suspiro.

Pixie no tiene que decidir qué auto o refrigerador o estéreo o home theater o reproductor de DVD o consola de videojuegos u horno de microwave o fido comprar. Pixie no tiene que decidir si va a pasar sus vacaciones en Orlando o Vail o Baja o qué membresía de qué club deportivo va a adquirir. Pixie no tiene que decidir si va a pasar seis meses en Londres o en Boston o en Roma estudiando un curso de mierda. Pixie, y esto es lo mejor de todo, no tiene que decidir en qué iglesia y con qué vestido y con qué ramo y con qué padrinos y con qué *superieure* y en qué salón se va a casar. Ni con quién.

Y allá tienen al pendejo de mi jefe pensando que las ratitas de laboratorio ultraeducadas que contrata semestre tras semestre son gente de bien, gente de productividad. La verdad es que somos un gran bonche de mediocres. Un gran bonche de lepes sobrevalorados. Unos pendejos de mierda y nada más que eso. Somos miembros de la Generación Disfuncional. Podría decir que somos demasiado inteligentes, pero eso no es tan cierto como que estamos demasiado educados. Demasiado preparados. Cada nueva generación salida de la universidad es más depredadora que la anterior.

Lo único hermoso de mi trabajo es el dorado momento, cada seis meses, de firmar el despido de los vecos que dejaron el cerebro y el alma en un departamento carísimo y un auto importado y una oficina en un rascacielos y en un traje italiano que realmente nunca se ganaron o merecieron. Todos esos vecos dejaron el cerebro seco y el alma muerta, y son sustituidos por un nuevo parque de lepes estúpidos, trilingües, hiperinformados, emprendedores, altivos, vivaces y energéticos.

A los otros, los que no soportaron la presión, pueden imaginarlos en bata, caminando en un jardín de una clínica de Parras, tomando antidepresivos a sus veinticuatro años y viendo los programas de concursos que pasan en la mañana por el fido.

Los que sobrevivimos tenemos dos opciones. Ser unos pendejos o ser unos pendejos.

Un día, mientras fumaba en el Ágora del Cáncer y conversaba con el infeliz de Putrefoy sobre lo salvaje que a veces puede ser Mike Piazza en el séptimo inning, se unió a nosotros otro gusano corporativo. Era, al igual que yo, director de área. Miope. Anteojos de fondo de botella. Arteramente, usó su discapacidad de mierda para desviar la charla hacia una trivialidad tan pendeja como los pagos a proveedores.

"Cuando me llegan cheques a nombre de la compañía veo muy bien", dijo con una risita mongólica. "Cuando son cuentas por cobrar no veo nada."

Putrefoy le festejó el chasco. Yo no. Yo no veo bien cuando me llegan cheques a nombre de la compañía. Yo no veo bien cuando autorizo pagos a proveedores. Yo no veo bien nada que tenga que ver con mi trabajo. Autorizo cientos de miles de dólares al año pero ni un quinto de ese dinero es mío. De los dieciocho a los veinticuatro estudié una carrera universitaria de la que salí titulado con especialización-máster, tomé trece cursos de intercambio en Estados Unidos, asistí a docenas de conferencias y seminarios. ¿Y a qué me dedico? A cuidarle el dinero a otros.

Yo sólo soy un lacayo corporativo.

Yo soy un sobreviviente. Y eso no me hace menos pendejo.

Por eso amo a Pixie. Pixie es diferente.

Pixie es la única persona que vale la pena de la Generación Disfuncional.

Yo amo a Pixie.

Sábado, ella no trabajaba. El sol brillaba. La convencí de ir al zoo. Ésta es la parte de mierda de todas las "comedias románticas" de Hollywood en la que se escucha una cancioncilla pegajosa de fondo y los dos enamorados andan papaloteando por aquí y por allá. A esa típica parte de mierda de "comedia romántica" los críticos mamones del periódico la llaman "elipsis", pero Pixie y yo le decimos "el videoclip".

En fin, fuimos al zoo. Me acordé de aquello de "*such a perfect day, feed animals in the zoo*", pero realmente es una idiotez porque en ningún zoo te permiten darle de comer a los animales. Y también porque ninguna "comedia romántica" de Hollywood pondría una canción de Lou Reed en la parte de mierda de "el videoclip".

Pasé por Pixie al hediondo lugar en el que vive y que el cenador le compró con nuestras contribuciones. Pixie salió vestida con jeans, huaraches y una playera pegadita de The Gap.

Así fue como conocí a Pixie.

Pixie es un nombre de estúpida.

Sus pequeños pechos levantan la playera.

Pixie tiene una costumbre muy peculiar: le gusta morder la antena de su teléfono portátil. Es un Nokia con acceso a la web y pila de níquel-cadmio que permanece cargada hasta ciento catorce horas en stand by.

Guau, dije.

Así fue como conocí a Pixie.

En el zoo admiramos, con ese primitivo asombro que te provoca lo primitivo, al *ovis canadensis*, al *caniscanis lupus baileyi*, al *pecari tajacu*, al *canis latrans*, al *linx rufus*, al *camelus bactrianus*, al *bitins arietanis*, a la *lichanura trivirgata*, a la *bothrops asper*, a la *crotalus aquilus*, a la *heloderma horridum*, a la *spilotes pullatus*, a la *crotalus basilliscus*, a la *crocuta crocuta*, a la *panthera leo*, a la *lama glama*, a la *giraffa camelopardalis*, al *taurotragus oryx*, al *elephas maximus*, al *ursus americanus*, al *dama dama*.

Dama dama es el nombre en latín para el gamo.

Si Dios existe debe de hablar en latín.

Otro día, fuimos a una feria. En una explanada había un grupillo funk armado con trombones y bajos y guitarras y percusiones y teclados. Tocaban algo para el chingado festival de la cerveza. El baterista era idéntico a Jay Leno.

No había ningún espectador en aquella explanada. Pero eso no le importó a Pixie, quien se acercó a la banda y comenzó a bailar. Exquisitamente. Pélvicamente. Sonreía. ¿Se han dado cuenta de que mucha gente no sonríe al danzar?

Si tienes una música suculenta frente a ti, ponte a bailar.

Si tienes un platillo suculento frente a ti, cómelo.

Si tienes una mujer suculenta frente a ti, hazle el amor.

Así pensaba Pixie.

Groove is in the heart. Una gran verdad.

Así conocí a Pixie.

No nos besamos ese día.

De hecho, no nos besamos en mucho tiempo.

Yo besé a la persona equivocada.

Otro fin de semana, otra emocionante sesión frente al espejo, peinándome y arreglándome y perfumándome. Recordé que Kurt dijo "*I can't wait to meet you there*", y súbitamente sus palabras cobraron sentido. Pixie y yo hemos organizado un viaje en tren. Vamos a ir a Monclova. En cierta forma es otro largo domingo vacío, aunque diferente. Ya saben, esa vieja sensación de que, en algún lugar, alguien piensa en ti.

O al menos eso crees. Es bueno creerse esa mierda.

Pixie me dice que algo se le atravesó, y que mejor nos vemos en el vagón comedor. Bien, le digo, eso no cambia las cosas. Yo pensaba ir por ti, le digo, y recibirte con un beso en la mejilla y abrirte la puerta, pero no importa. Que llegues allá no cambia las cosas.

Al mediodía, armado con anteojos oscuros y cámara fotográfica digital, me muevo de vagón en vagón hasta llegar al del comedor. Una vez ahí, contemplo una imagen apocalíptica. Mi cuerpo se enfría y mi cuello se endurece. Frente a mí veo a una ptitsa que, sin ser idéntica a Pixie, es muy parecida a ella. Una ptitsa definitivamente más baja que Pixie, con el cabello más largo y las piernas y los pechos más voluminosos. Una ptitsa con una mirada que sale por sus antiparras negras y atraviesa las mías y se clava en mis ojos.

Nunca confíes en una mujer cuyos ojos pueden verse a través de un par de anteojos oscuros.

Yo te conozco, pienso.

Ya saben, esa vieja sensación de que creen conocer a alguien pero no lo conocen.

Después, siento como si me treparan en un *dolly* y me llevaran directamente a la mesa de mantel escocés y margaritas en un jarrón y ventanilla al lado en la que está la ptitsa.

"¿Nos habíamos visto antes?", me dice.

Así es como conozco a Midyet.

A ella sí la besé.

Con ella me casé. Con esa Midyet.

Hipnotizado, tomo asiento.

"You're dangerous 'cause you're honest. You're dangerous 'cause you don't know what you want."

Se acerca a nosotros otra ptitsa, y sus pisadas me suenan familiares. Pelos cortos, ciento setenta y seis centímetros de estatura, nariz respingona, ojos cafés.

"Hola", saluda Pixie.

En algún lugar escuché que la palabra hola fue inventada

prácticamente al mismo tiempo que el teléfono. La gente no usaba la palabra hola antes de que se creara el teléfono. Buenos días, buenas noches, albricias, quién vive, la mamada que quieran menos hola. Bell, Edison, Ericsson, patriarcas del saludo contemporáneo.

Pixie se sienta con nosotros. Le sonríe a la ptitsa de la mirada penetrante. Luego me observa con una calma perturbadora.

Antes de que se inventara el e-mail la gente no empleaba el verbo forwardear, el cual es un anglicismo. Eso quiere decir que viene del inglés. El inglés viene de Inglaterra. En Inglaterra no inventaron el e-mail.

"¿Ya conoces a mi hermana Midyet?"

Claro que no, pendeja.

"La invité a que nos acompañara."

¡Pero éste debía de ser nuestro perfecto viaje en tren, nuestro propio y privado viaje en tren!

"Ah, sabía que no te molestaría, ¿verdad?"

Ya saben, ese viejo sentimiento de que alguien sale sobrando.

"Hola", la ptitsa extiende la mano izquierda.

Nos han enseñado que forwardear es una palabra mala porque Cervantes no la incluyó en *El Quijote*. Pero igual la usamos.

Hola, le digo.

La ptitsa de los ojos penetrantes, la ptitsa del grueso muslo izquierdo cruzado sobre la rodilla derecha y las tetas buenísimas es hermana de Pixie. Midyet es hermana de Pixie. Pixie es hermana de Midyet. Midyet es la hermana mayor de Pixie. El resto ya lo saben.

Sancho, forwardéame ese episodio de los molinos de viento.

Si llego a ser vicepresidente antes de los treinta, haré todo lo posible por prohibir los encuentros casuales.

Yo besé a esa ptitsa.

Besé a la ptitsa equivocada.

Luego me casé con ella.

Siguiente parada: Monclova, Coahuila.

Población: 13,450. Desierta desde que quebró el negocio del acero.

Cómo nos equivocamos. Cuánto nos equivocamos. En ese momento, pensé que sería correcto hacer buenas migas con Midyet. Yo pensé, dentro de lo que los protocolos de operaciones corporativas contemplan en semejante situación, que ser amable y considerado con Midyet ayudaría a mejorar mi situación.

¿Cuál situación?

Mi situación con Pixie.

Sí, ¿pero qué situación?

Estar con ella, claro.

¿Tiene la última respuesta algún tipo de lógica?

No.

¿Por qué?

Porque debe de ser un pendejo aquel que piense que un protocolo de operación corporativa puede ayudar en una situación como ésa.

¿Cuál situación?

Toparme casualmente con la hermana buenísima de la ptitsa de la que me había enamorado en un tren a Monclova, Coahuila.

Ahora imagínenme caminando, a unos doscientos cincuenta metros del tren, cargando en el cuello mi cámara CyberShot, enmedio de Midyet y Pixie, haciendo elaborados comentarios sobre cualquier mierda que se les ocurra. Pongan de fondo musical el primer movimiento del *Concierto de Aranjuez*. Algo alegre para una alegre caminata por los terregales de Monclova, Coahuila.

Una alegre caminata acompañado por Midyet, Pixie y Joaquín Rodrigo.

Un buen acorde de guitarra española te regresa la vitalidad, ¿no?

Seguimos a una cerda guía de turistas, una vetarra de botas vaqueras y sombrero de Cocodrilo Dundee. Es idéntica a la novia del Gallo Claudio. Nos lleva a un lugar abandonado. Monclova está lleno de tierra, zopilotes, lepes en calzones a un lado de la carretera y edificios derruidos, apestosos, abandonados. Así es el desierto.

Así es el folclor de una ciudad fantasma.

Así es el hermoso folclor del desierto.

El lugar abandonado es el antiguo parque de beisbol de los Acereros de Monclova. Caminamos, junto con otras cincuenta personas, por lo que fue el estacionamiento. Ahí están, cubiertas de polvo, las carrocerías desllantadas de una camioneta Pinto, una Gremlin y un enorme Ford Perkins de ocho toneladas. Al llegar a cierto punto, nos trepamos en un pequeño maglev para doce personas. Y en caso de que se pregunten por el destino de los otros treinta y ocho vecos, no se preocupen: hay suficientes maglevs para todos.

En nuestro vehículo se trepa la guía. Dice algo, una especie de discurso introductorio sobre la ruina que visitaremos, pero no la escucho muy bien. Le pregunto a Pixie sobre lo que la anciana ha dicho.

"Que no nos salgamos del vehículo mientras dura el paseo", responde rápidamente.

Yo quiero una botella de agua Evian de litro y medio, hacer pipí y tomar algunas fotos que inmediatamente iba a borrar de mi disco duro y mi tarjeta flash de ciento veintiocho megas.

Soy un turista de mierda.

Pueden cambiar al segundo movimiento.

El maglev, suavemente, se eleva unos cuantos centímetros del piso, y arranca gentilmente en dirección al estadio. Yo estaba, de nuevo, enmedio de las dos hermanas.

Observo a Midyet.

La encuentro idéntica a Pixie aunque no se parecen en lo más mínimo. Una es alta y la otra baja. Una trabaja en marketing. La otra prepara palomitas de maíz de caramelo en un multiplex.

Amo a una. Odio a la otra.

Pixie es gentil.

Midyet es poderosa.

El parque de beisbol se abre ante nosotros, imponente. La

soledad de un lugar que solía estar repleto de gente es más elocuente que la soledad de un lugar que siempre ha estado solo. Algún pobre pendejo del grupo comenta que aquello no es nada comparado con el Coliseo de Roma. Y en verdad que hay una gran diferencia entre un gladiador y un parador en corto, pero aquel destrozado lugar lloraba más tristemente que cualquier ruina histórica. Bueno, nunca he estado en Roma, pero sí en Teotihuacán.

El desvencijado marcador de lámina oxidada se había quedado marcando una carrera, tres hits y dos errores.

Midyet señala los rotos vidrios de los palcos. Imaginamos que aquel cubículo alguna vez estuvo alfombrado y con aire acondicionado y lleno de meseros y ptitsas hermosas y acereros poderosos.

Midyet es poderosa.

Cómo no pensar en esos muslos. Cómo no pensar en esas tetas de campeonato.

Midyet me mira cuando entramos al desolado diamante. Midyet me regala una sonrisa que no es una sonrisa.

Era su forma de manifestar *imprinting*. Así se le llama al instinto que poseen todas las especies naturales de reconocer al primer ser que ven al nacer.

Luego, Midyet me toma de la mano pero no me toma de la mano. En realidad me pone un chip de identificación, un código de barras.

Aprieta.

Se arrima. Pega sus gruesos muslos a mis flacas piernas peludas.

Ya saben, el cuerpo cavernoso se llena de sangre.

Midyet es poderosa.

Y es tan parecida a Pixie.

Una perversa similitud.

Donde antes estaba la segunda base crece ahora un yerbajo gris. Donde antes estaba el montículo de pitcheo ahora hay un cosmopolita hormiguero. Donde antes estaban los jardines ahora hay una pequeña jungla del desierto. Donde antes se paraba el veco de los raspados ahora hay alacranes y serpientes. Luego vimos el *dugout,* pero aquel lugar sigue igual. Seguramente los escupitajos hicieron estéril el área.

La mano de Midyet suelta mi mano y me aprieta el pene. Y no crean que voy a decir que no me apretó el pene. Eso era una apretada de pene profesional. Cuando has vivido con un pene veinticinco años sabes muy bien cuándo te lo aprietan y cuándo no.

Por fin llegamos al momento cúspide del segundo movimiento. Me pregunto si Aranjuez se parece a Monclova.

Bothrops asper es el nombre en latín para la nauyaca real.

Bien: tercer movimiento.

Vuelve la alegría. Comemos en la barra de un simpático restorán de comida típica monclovense. Es una suerte de cabaña de troncos. Espero que en cualquier momento aparezca el pilgrim de Pilgrim's Pride. Bebemos cerveza, fumamos cigarros y hasta intercambiamos impresiones con nuestros compañeros de viaje.

¿Les ha pasado que, sin darse cuenta, están de la mano de una persona, sujetados fuertemente? Las palmas me sudan. Estoy aferrado a las párvulas garras de Midyet. Con la mano que me sobra, la derecha, saco los cigarros, el encendedor, alcanzo el cenicero, fumo, tomo de mi cerveza.

De repente me doy cuenta de todo esto.

Como cuando te dan un bofetón.

Volteo a ver a Pixie, y no parece estar molesta con la situación.

Como si despertara de un sueño.

Tengo un chupetón en el cuello. Lo veo en el espejo de la barra, junto a una botella de Absolut y otra de Stolichnaya. Luego encuentro una mancha de semen seco que se estira cerca del cierre de mis jeans.

Despierto como si fuera lunes y me hubieran dado las once de la mañana y robot me gritara: ¡A trabajar pendejo!

Los dedos de mi mano izquierda están entrelazados con los

de Midyet, y su muslo izquierdo descansa plácidamente sobre mi rodilla izquierda, y mi oreja izquierda parece gotear por las generosas cantidades de saliva que los gordos labios y la lengua de la chaparra insertan en mí.

¿Sabían que durante siglos se ha relacionado al lado izquierdo con la malignidad? No en balde a uno se le llama la diestra, y al otro la siniestra.

Con miedo, y tratando de recordar qué chingados ha sucedido, volteo a ver a Pixie, y ella sólo me sonríe. Dentro de mí, alguna víscera se retuerce. La ausencia de celos es una buena retorcedora de vísceras. ¿Cómo podía no decirme nada? ¿Cómo podía no demostrar ira o envidia o alguno de los pendejos cinco pecados capitales restantes?

En esos instantes, Midyet me susurra al oído:

"Tenemos que hacer algo más tarde."

¿Algo? Yo no voy a hacer nada, la ptitsa que más me ha interesado en los últimos años, en toda mi vida, está al lado de mí, inerte, cuando debería ocupar tu lugar, grandísima puta, si no haciendo lo mismo, por lo menos intentándolo.

"Si quieres te la vuelvo a chupar."

¿A alguno de ustedes le han mamado la verga y ni siquiera se han enterado de ello? Créanme que es una xodida pérdida de tiempo. Es como ir al Super Bowl y no acordarse de nada, sólo tener una camiseta y una gorra como prueba de que estuviste ahí. Es como cuando despiertas de una siesta, a las cinco o seis de la tarde, en un estado de apendejamiento total, entumecido, con los ojos semicerrados, la vejiga hinchada, el aliento de mastín napolitano y no sabes en dónde estás ni qué estabas haciendo ni en qué día te encuentras.

Así despierto en el asiento trasero de un Duster. Visto un traje azul marino y camisa blanca pero sin corbata. Y mi copete se alza en un bucle castaño oscuro que huele a Studio Line de L'Oréal.

Es de noche.

El auto disminuye la velocidad.

"Ya llegamos", avisa Midyet por el espejo retrovisor, guiñándome un ojo.

La miro y luego observo a su acompañante. Es Pixie, quien juega alocadamente con las perillas del radio.

"Hola", saluda inocentemente.

Trompetas trompetas, un banjo...

Bajamos del coche. Midyet le entrega las llaves del Duster al valet y entramos en una caracola de utilería que mide, no sé, doce metros de altura. El negro mamadísimo de la entrada nos pone una jeta de mierda.

"Vamos, vamos", dice Pixie, "Cole y Pimp ya están esperándonos".

Este Cole es el otro Cole del que les hablaba.

Midyet le dice algo al negro mamadísimo.

El negro mamadísimo nos ofrece una sonrisa. Incluso a mí.

El lugar se extiende esplendorosamente. Es un restorán temático, todo un encantamiento bajo el mar: peceras, arreglos de coral al centro de la mesa, ceniceros de mejillón, gambas cigarreras, sirenas meseras, garroteros pulpo.

En una mesa con forma de concha de mar de la que parece que va a emerger Neptuno, se encuentran dos pelados, uno gordo y más bien bajo, y otro rechoncho y de apariencia grosera. Pixie corre a abrazarlos como si se le fuera la vida.

"Él es Cole y él es Pimp", me dice Pixie, "ellos son mis mejores amigos de los que te había hablado".

La gran pendeja no me había dicho nada, pero finjo estar enteradísimo del asunto de Los Mejores Amigos Y La Gran Verga.

Hola hola, yo soy fulano de tal. Y no sé qué hago aquí.

"El muchacho es tímido", dice socarronamente Midyet.

Reparo en mi brazo izquierdo, canijamente apresado por los dedos pincescos de Midyet.

El asiento es de curpiel color vino. Y simula una langosta. Me aplasto, claro, junto a Midyet.

La gran puta.

"¿Qué quiere de tomar el señor?"

Detrás de nuestro asiento hay una enorme pecera llena de peces tropicales. Los excrementos flotan con gracia en el agua azulada.

"¿Señor?"

Volteo y se me tuerce el cuello. Yo no bebo acompañado. Sólo bebo solo. Solo bebo mejor. Nada. De preferencia, nada.

En algún lugar de la pecera hay unos altavoces, lo sé. De ahí debe surgir el digitalizado efecto de sonido de las olas del mar.

Pixie, vodka tonic. El tal Cole, Indio. El tal Pimp, cicuta.

"A mí tráigame un midori", pide Midyet con gruesa voz. En ese momento vuelve a apretarme el pene.

Pensándolo bien, quisiera un tequila. Herradura. Rápido. Del que sea, no estoy para tomar decisiones complicadas. Con el menú de Starbucks basta.

Cole me mira con curiosidad. "¿Habías estado en *Las playas*?"

¿*Las playas*? ¿Estamos en *Las playas*? No sabía que Monclova tuviera un *Las playas*.

Midyet se ríe como una macabra bruja celta. Su carcajada se mete en mi cerebro y reverbera en un sanguinolento eco.

"Piensa que todavía seguimos en Monclova", dice.

Claro, Saltillo. En dónde más habrá un restorán *Las playas*, qué pendejo soy.

"No seas tan rudo contigo", comenta Cole al momento de echar una aceituna negra en su boca.

¿De dónde salieron esas aceitunas?

Y son negras.

"¡Salud!"

Frente a mí reposa un caballito de Herradura. Uh, llamando al cerebro, uh, tomarlo, elevarlo, empinar el codo, uh, abrir la boca, depositarlo dentro.

El ardor.

Uh, el ardor.

Pixie abraza a Pimp. Le da otro beso en la mejilla. Ella le jala las patillas, él hace una exclamación de auch y luego todos ríen.

El ardor.

"Fuimos juntos a la uni", comenta Pixie. "Tooooodos."

Midyet no, por supuesto.

"Yo estudié en el Tecnológico", aclara Midyet. "*Top of the class*. Me titulé con especialización-maestría. Estoy tramitando mi doctorado en UK."

¿Dónde he escuchado esa basura?

You Never Can Tell.

"¡A menos que algo inesperado se atraviese en el camino!"

Perdón, me perdí algo.

"Pixie decía que es imposible que Midyet no estudie su doctorado", susurra Pimp.

"Midyet siempre consigue lo que se propone", dice Cole.

¡Ya veo!

"¿Tú a qué te dedicas?", pregunta Pimp.

"Sí, dinos", secunda Cole.

El mesero me pone su carota enfrente, como si esperara mi respuesta. Un pececillo dorado, en la pecera que tengo enfrente, parece pegarse al vidrio con morbo.

Pixie sonríe. Midyet me muerde una oreja. La izquierda, lo adivinaron.

"Gano ciento sesenta y cinco mil dólares al año", digo con un rostro de aburrimiento. "Menos impuestos, más bonos anuales, aguinaldo, caja de ahorro y reparto de utilidades."

Cole hace una gran O con su bocota de chancho. Pimp lo imita y luego se dirige al mesero:

"¡Él invita la siguiente ronda!"

Ja ja ja ja ja. Claro, pendejos muertos de hambre, yo invito. Como esperaba, nadie más vuelve a preguntarme sobre mi empleo. A la gente no le interesa lo que haces, ni si eres feliz haciéndolo o no. Todos sólo quieren saber cuánto ganas.

Pixie, sin embargo, me lanza su mejor mirada de "qué chingados te sucede" y por un momento alucino que mi vieja amiga está de vuelta.

¿Es que en algún momento se fue?

"Pide la sopa campechana de mariscos", sugiere Pimp, y luego levanta los dos pulgares y remata con un "está picudísima".

Existen vecos que todavía utilizan la palabra "picudo".

"¿Qué va a comer el señor?"

La sopa campechana de mariscos, jamás. No lo que me recomiende este pendejo.

Ah, ese último pensamiento me hace descansar por un segundo.

Las olas que emanan de las bocinas ocultas me hacen imaginar que vivo en la playa como un pachá de mierda sin responsabilidades y estoy más prieto que un ano de trailero y ando por la vida de cadenita, playerita, gorrita, huarachitos, preparándome unos boqueronitos con limón, una truchita, una carpita, una mojarrita, una banderita, un jurelito, un pampanito. Gatorade y más Gatorade.

"¿Señor?"

"¿Siempre tienes que hacer las dos mismas preguntas de mierda?"

Uy. Todos callados.

Cierro los ojos. Tráeme un puto huachinango de mierda a la veracruzana.

"¡Eso no te lo preparan ni aunque ganes seiscientos millones al año!", exclama Pimp y todos lo celebran.

Crocuta crocuta es el nombre en latín para la hiena moteada.

Unos minutos después, el mesero arriba con un gran platón en forma de mejillón de Oaxaca. Sí sí, se ve espléndido, pero en esos momentos yo sólo estoy pensando en largarme de ahí y tragar en cualquier otro lado. Hasta sería feliz en el *fast food court* de cualquier mol jambando en McDonald's o lo que fuera. Devorando una suculenta caja feliz. Una cujulenta saja lefiz.

"¿Te gustan los rófols?", me pregunta Pimp, echándose otra

aceituna negra al hocico y yo alucino que es la cabeza de un bebé de Harlem, el próximo Michael Jordan, el siguiente Randall Cunningham, el nuevo Tiger Woods.

"¿Los qué?"

¡Asesino! ¡Asesino!

"Los rófols."

"¿Qué son los rófols?"

"Las papitas que están como rizadas y que vienen en una bolsita azul."

Ah, Ruffles.

"¿Verdad que suena de la verga?", dice Cole.

"Te estaban probando", dice Midyet. "Dependiendo de lo que respondas se puede medir tu grado de normalidad."

Y resulté ser...

"¡Normal!"

La normalidad es una curva. En algún momento de la carrera estudié eso.

"¿En qué universidad estuviste?", interroga Cole.

"Debe de haber estado en Universidad Católica La Gran Cagada", dice Pimp.

"Sí, no tienes cara de egresado del Tecnológico."

"El Tecnológico es lo mejor."

"Nada como el Tecnológico."

Me quiero ahogar. Me quiero meter a nadar con los peces y que me enseñen a acostarme en el fondo de su hábitat artificial y jugar Tetris con el bucito de plástico que echa burbujas. Quiero que el negro mamadísimo de la entrada me meta una putiza hasta fracturarme todos los huesos importantes del cuerpo y me estalle una docena de vísceras. Quiero que me metan en la fosa de los tiburones. Mejor aún: quiero que me metan en la fosa de los tiburones con tres kilos de carne cruda y sanguinolenta amarrados a la espalda.

Llega mi puto huachinango de mierda a la veracruzana.

"¡No veo la popó por ningún lado!", grita Pimp, y Cole y Midyet lo celebran.

Canis latrans es el nombre en latín para el coyote.

Dando un brinco, me levanto de la mesa. Sin inventar algún pretexto, digo que tengo que irme a casa. No se preocupen. Vivo lejos. Puedo caminar.

Nadie hace un esfuerzo por retenerme. Sólo Pixie:

"¿Estás seguro?", dice con su cara de hermosa.

Pero no me detiene. Aviento la servilleta y camino a paso veloz hacia la salida. Casi al llegar a la cadena, Midyet, que ha corrido detrás de mí, me para:

"Me llamas, ¿eh? Tienes que hacerlo", dice con su peor cara de niña pendeja.

¿Por qué? ¿Por qué te tengo que llamar puta pendeja de mierda? ¡No te debo nada cabrona, no te debo nada!

"Claro", digo, y salgo de ahí.

No entiendo por qué a veces hago cosas que no quiero hacer.

Minuto y medio después tomo un rickshaw y pronto me veo en mi departamento bajo las cobijas. No puedo dormir. Juro que el clóset está lleno de criaturas feroces.

Grrr. Grrr.

CINCO

La tercera vez que vi a Midyet traía una playerita pegada que decía "copyright". Las gigantescas tetas parecían salirse de la tela y pegarse a mi rostro y con una boca dentada emerger del pezón y decirme "lámenos, puto, lámenos".

La tercera vez que vi a Midyet comimos con el cenador en el jardín de su casa. Aquello fue un sábado, según parece. Aprendí algunas cosas ese día: Midyet vivía con el cenador. Pixie no. Pixie era la hija pródiga y Midyet la hermana pendeja que pide que sacrifiquen al borrego mayor y todas esas xodencias bíblicas.

Había sol pero hacía frío. Era noviembre. Acababa de pasar el Día de Muertos, creo.

Ahora piensen en mí, manejando por uno de esos suburbios que son como bosquecillos de cuento de hadas, pero pavimentados. En lugar de duendes: sirvientas y criadas. En lugar de árboles sabios que todo lo conocen y te dan consejos: letreros de VELOCIDAD MÁXIMA: 30 MPH. En vez de tiernas ardillitas parlantes ("¡Hola amiguito, soy Pinguín! ¿Cómo te llamas tú?"), agentes de seguridad privada matando a macanazos a un perro callejero que osó entrar en el bosque encantado.

El fraccionamiento Bosque Encantado estaba hacia la sierra de Arteaga. Ése no era su nombre, por supuesto, pero a mí me gusta llamarlo de esa manera. El Fraccionamiento Bosque Encantado.

Traten de imaginarme, sosteniendo un ramo de flores, de pie frente a un gran portón. Pude haberlas ordenado a través de floresdemierda.com con un treinta por ciento de descuento y pagarlas veinticinco días después, pero preferí pasar a un expendio que estaba en la de Abasolo. Cinco dólares por un ramo de lindas y saludables flores rojas y amarillas. Me dijeron cómo se llaman pero ya no me acuerdo.

Malediction.

Midyet abrió la puerta. Midyet pudo enviar a tres robots para que me abrieran con sus nervios cableados y sus dedos de acero. Pero no. Midyet tenía que estar ahí. Midyet *tenía* que abrirme la puerta.

Imaginen mi rostro de sorpresa y espanto cuando veo, frente a mí, a una enorme ptitsa, imponente y buenísima. Véanme queriendo tirarme al piso a llorar y pedir clemencia ante esa cosa de, no sé, ciento ochenta y cinco centímetros, larga cabellera, anchas caderas, cintura diminuta.

"¡Hola!", y la pegajosa lengua de Gran Vagina se mete a mi boca, destapándome las muclas, tachueleando mi paladar. Creo que hasta me despeiné. Y mi loción Nautica se desvaneció por completo y dejó sólo un débil olorcillo, perdido en mi cuello.

El olor de la muerte. "*I recognized your foul stench when I was brought on board*", dijo Carrie F. en alguna película alguna vez.

"¡Hola!" De nuevo esa xodida expresión. Sí sí, hola. Hola mis huevos. Luego vi la playera. "Copyright". Las tetas: Lara Croft.

"¿Son para mí?"

No, grandísima perra hija de puta, no son para ti, son para Pixie.

Ido, estiré las flores y las pusc en sus manos.

"¡Gracias!"

Cinco dólares por un ramo de lindas y saludables flores rojas y amarillas.

Malediction.

"¡Pasa!", me dijo al tomarme del cuello de la camisa y arrastrarme adentro de la misma forma que Lawrence Taylor y Derrick Thomas hacían con los quarterbacks de la NFL en sus buenos tiempos. Y yo era un pequeñín, un duende, un elfo, un enano junto a esa mole. Yo era Doug Flutie. Ella era Jack Lambert.

"¡Papá muere por conocerte!"

Cuando caminábamos por una vereda de adoquín rodeada por verdísimos jardines, observé a Midyet de arriba a abajo. No traía tacones pero era mucho más alta que yo. Había crecido, ¿qué? ¿Treinta centímetros? Algunas clases de bambús se estiran hasta noventa centímetros en una sola noche.

Giraffa camelopardalis es el nombre en latín para la jirafa.

"¡Allá estás, hijomío!"

Sí, ése era el cenador. Me estaba llamando "hijomío". El hijo de la verga no me conocía y me saludaba con un hijomío. El canalla burócrata jamás me había visto y ya me decía hijomío. Podía yo traer una gran nueve milímetros en el costado y clavarle una bala desde la parte baja de la barbilla hasta que le saliera por la silla turca. Podía ser yo un loco hijo de perra de esos que han visto demasiados episodios de *Dragon Ball* o *Robotech* y que se van al merendero de comida rápida del mol a darle de escopetazos a las carreolas de los parroquianos que han llevado a sus bebés a tomarse fotos con el oportunista disfrazado de Pikachu que se para afuera de la heladería Häagen-Dazs.

Me abrazó. Hasta me besó en la mejilla. Pongan pausa.

Aquello era como de la *cosa nostra*.

Yo podía traer veinte kilos de explosivo plástico sujetados con *masking tape* en el tórax y hacer de ese abrazo algo realmente memorable.

Pero el cenador me estaba besando. El cenador y yo no éramos amigos y sin embargo me estaba besando. El cenador y yo bien podríamos jamás habernos cruzado en esta cerda vida.

Pero me estaba besando.

Quiten la pausa.

"Esto es increíble", ladró. "Tenía tantas ganas de conocerte. Vas a ver que nos la vamos a pasar bomba."

Todavía hay vecos que utilizan la expresión "pasarla bomba".

Y mis flores, adiós. Primero habían estado en las manos equivocadas, luego fueron confinadas a pasar el resto de su vida de setenta y dos horas en un jarrón con agua.

"Pasa a la mesa, por favor."

Whisky, vodka, tequila, vino tinto.

"Tinto está bien", le dije a un veco que debía ser el mesero, y luego lo detuve en seco: "Pero antes tráeme un caballito de tequila. Que sean dos."

(El detalle "que sean dos" es como de sitcom de mierda del canal de Sony. Hasta puedo escuchar las risas grabadas.)

Van para adentro. Ahhh. Ahhh.

Ah.

Pixie llegó a la carpita árabe que los robots del cenador habían preparado para nuestra pequeña comida campirana en su palacete en el fraccionamiento Bosque Encantado. Pixie vestía un pantalón negro ligeramente abombado y una blanca blusilla chiquilinga que dejaba ver su ombligo de turrón.

Corrí a abrazarla. Hundí mi nariz en su cuello. Sollocé. Sobé sus cortos cabellos inmaculados. Quería tirarme a sus pies. Quería venerarla. Quería rezarle una novena.

"¿Estás bien?", me dijo Pixie al separarnos.

Quería pedirle que huyéramos de ahí a escondernos al cinematógrafo, a nuestro santuario, a nuestro auténtico lugar en donde podíamos ser auténticos.

"Sí, claro", le dije estúpidamente. "Fue el tequila. Me lo tomé muy rápido."

Ahora, en *slo-mo*, sentar las grudas en el sillín que neciamente compró el cenador en un viaje a Arizona cuando bien podría haberla adquirido de manos de uno de NUESTROS indígenas que tanto lo necesitan.

Pero el cenador no cree en esas mamadas.

Yo tampoco.

Primera y única vez en la que el cenador y yo estaremos de acuerdo en algo.

La Giganta llegó cargando una charola de madera costarricense llena de Sabritones de Jalisco. "Ah, un buen Sabritón no le cae mal a nadie", le dije a Midyet con sonrisa de Ken y tomé una fritura.

¿Por qué era tan falso? ¿Por qué no le escupía a la zorra en la jeta y la mandaba a mamarle la verga al capo que tenía por padre?

Crac crac crac. Ése es el sonido de un Sabritón rompiéndose adentro de tu boca. Crac crac.

Vino. Uno para adentro. Sirve, hijoputa, sirve ya. Un segundo vaso.

Ese tintorro sabía como los meados con diarrea del cenador. Y vaya que eso sí suena asqueroso. Piensen que el cenador es bastante gordo. Piensen en el cenador como un gran jabalí, un oso con sarna. Un oso podrido.

Ursus americanus es el nombre en latín para el oso americano.

No sé la palabra en latín para sarna.

Midyet se sentó junto a mí. Más bien, se arrimó a mí. De nuevo, sus garras me aprisionaban, y sus muslos de gran puerca, lascivos, llenos de celulitis y varices me atacaban.

Soy un veco débil. En nuestra luna de miel, fuimos a una playa en Oaxaca. Acabábamos de llegar al hotel, es más, apenas acabábamos de meternos al cuarto, cuando Midyet se quitó los shorts de teveíta que traía y que parecían reventarse al mínimo esfuerzo y la hacían ver como una pecadora de mierda, se tiró a la cama, me paró el culo y dijo desde la cavernosa almohada en la que había clavado la cara:

"¿Ves esas estrías? Lámelas. Chúpalas. Rásgalas con tu lengua."

Yo estaba de pie, junto al fido —un viejo Zenith con un control de PlayStation atachado en el costado—, todavía con los anteojos oscuros y el pasaporte en la mano, y una maleta al hombro.

Imagínenme con la bocota abierta.

"¡Lámelos ya que estoy a punto de volverme loca!"

Tiré todo y obedecí.

Yo obedezco órdenes.

Yo soy un gusano matrimonial.

Yo soy un sobreviviente.

Luego me hizo que le chupara la vagina y el ano hasta que se vino tres veces, pero no voy a entrar en detalles.

Durante esa primera parte de la comida, el cenador no estaba con nosotros. Pasé un buen rato viéndole la cara a Pixie, quien se encontraba del otro lado de la mesa, con las tetas de Midyet embarradas en mis pupilas.

"Copyrrrrrrrrrrright."

No hablábamos.

Unos minutos más tarde, vi al cenador abrazando a un veco perfectamente bronceado, ataviado con khakis y camisa de lino. Los dos estaban cagados de la risa mientras se acercaban a la mesa.

El bronceado abrazó efusivamente a Pixie. Por adentro, hice un grrr. Luego la soltó y se dejó ir sobre Midyet, quien prácticamente me aventó al levantarse de su silla.

Mua mua, sí sí, cómo te quiero.

Llegó mi turno.

Me puse de pie.

Estiré la mano.

El veco se volteó y le dijo algo a Midyet. Ella, en un gesto inusitado de cortesía, le avisó al bronceado que quería presentarle a alguien. El veco giró la cabeza en dirección hacia mí.

"¿A quién?"

"A él".

"¿De qué hablas?"

Lo tenía de frente y, sin embargo, se hacía pendejo. Fingiendo enfado, yo, el muy hipócrita, me crucé de brazos.

"Yo no veo nada", insistió.

"¡Aquí está!", le gritoneó Midyet.

El bronceado se acercó a mí. Instintivamente, le ofrecí la mano pero, de nuevo, no la tomó. Casi chocamos.

"En serio, no veo a nadie", dijo.

Ah. De nuevo el chasco del hombre invisible. O ese pendejo era ciego o yo era invisible.

Lentamente, me senté. Pixie, de forma por demás amable, le instruyó para que pudiera verme. Finalmente lo hizo, y su apretón de manos fue muy efusivo.

Así fue como conocí a Primo Perfecto.

Primo Perfecto estudia en el Tecnológico. Eso no lo hace perfecto, pero casi. Primo Perfecto es el capitán del equipo de lacrosse del Tecnológico. Primo Perfecto folla con las deliciosas porristas faldasdiminutas del equipo de lacrosse. Primo Perfecto no atiende a clases porque es un becario deportivo. Primo Perfecto tiene asegurado su A+ por ser becario deportivo.

Más tarde, llegó a la mesa un veco lonjudo y de barba de candado. Su ropa era bastante corriente. Apestaba a cigarro. Él sí me vio y me saludó. No habían pasado cuarenta segundos y ya se estaba burlando de mí.

Así fue como conocí a Esposo Chistoso.

Esposo Chistoso es el camote de la hermana de Primo Perfecto. Es, por eliminación, el primo de Pixie. Esposo Chistoso trabaja en ventas. Por salud mental creo que hay que apartarse de los vendedores, pero durante nuestra comidita campestre en el fraccionamiento Bosque Encantado, por alguna espantosa bofetada del destino, me tocó sentarme junto a él.

Esposo Chistoso es de esos vecos que para todo tienen una anécdota, un detalle cagadito. Esposo Chistoso es de esos vecos que se endrogan con la tarjeta de crédito por hacerle una fastuosa fiesta de quince años a su hija. Esposo Chistoso es de esos vecos que se embarcan en un autofinanciamiento a cuarenta y ocho mensualidades con una tasa del veinte por ciento anual. Esposo Chistoso es de esos vecos que usan el *Help* de la hoja de cálculo.

La esposa de Esposo Chistoso no asistió a la comida. Pretextó alguna enfermedad. Luego supe que vivía en cama y dopada. Pero Esposo Chistoso no dijo eso, sino que estaba trabajando.

"¡Alguien tiene que pagar por todo esto!", vomitó el pendejo y todos, ABSOLUTAMENTE TODOS, se cagaron de la risa.

Hasta yo.

Falso de mierda.

Soy un xodido.

Luego, me empezó a interrogar. Qué hacía, cuánto ganaba, en dónde vivía. Al notar mis breves respuestas —fomentadas, en parte, por la asfixia midyetesca de la que era objeto—, comenzó a mamar con que yo era muy callado.

"¿Eres muy callado, verdad?"

Me comparó con el Unabomber, Tim McVeigh, David Koresh y el líder de la secta de los suicidas de Guyana (nadie se acordó, por suerte, del nombre). Dijo que los vecos callados después resultamos ser unos maniáticos y descargamos una escopeta en un Taco Bell o armamos un grupo religioso radical y la cosa acaba en tragedia.

Y todos se cagaban de la risa.

"¿Eres muy callado, verdad?"

Así fue como conocí a Esposo Chistoso.

"¿Eres muy callado, verdad?"

Una vez que se cansaron de hablar mal de mí, comenzaron a despotricar en torno a los homosexuales. El cenador, con esa neutralidad característica de los políticos, dijo que los putos eran unos subnormales, unos depravados y unos podridos.

Dijo que el ano no se hizo para tener relaciones sexuales. Dijo que la función del ano es única y exclusivamente expulsar la caca.

(Es que no vio a su hija clavarme un tenedor en el cuello para que le metiera la verga por la cola. ¿Y qué hacía un tenedor en nuestra dorada suite nupcial de nuestra charming luna de miel? Bueno, la muy cabrona lo tomó del comedor, y lo llevó al cuarto.

¿Por qué?

No tengo la mejor idea.

¿Qué objeto tenía robar un tenedor del hotel y subirlo hasta el cuarto?

De nuevo, no tengo la menor idea.

¿Y cómo fue, entonces?

Encima de la mesita esa que siempre ponen en una esquina con una lámpara, un bloc de notas, una pluma y un teléfono.

¿Qué hacía ella?

Bueno, gemía.

¿En qué pensaba?

Yo, en que me urgía darme una buena ducha. Agua ardiente. Para pelar pollos. Ella, no lo sé.

¿Y cuándo sucedió lo del tenedor?

Momentos antes.

¿Cómo fue?

Yo no quería hacer nada. Sólo dormir. Ya habíamos cogido tres veces ese día. Me ordenó entonces que se la metiera por el ano.

¿Y qué pasó entonces?

Dije: "¡No, caraxo!"

¿Y ella cómo reaccionó?

Se puso como loca a jalarse los pelos y a dar de patadas en los muebles.

¿Y lo del tenedor?

Lo traía en la bolsa. Lo sacó y me lo enterró en el cuello.

¿Lo clavó muy profundo?

Realmente no. Sólo un poco.

¿Y entonces?

Me llevó a la mesita y en el camino se quitó el traje de baño y, de nuevo, me paró el culo. Me gritó: "¡Métemela ya que me vuelvo loca!"

¿Y entonces?

Bueno, se la metí.

¿Así nomás?

No, el ano es una zona muy apretada.

¿Cómo resolvieron eso?

Ella cargaba un tubo con cuarenta y cinco gramos de lubricante no tóxico en la bolsa.

¿O sea que tenía todo preparado?

Oh sí. Midyet piensa en todo.)

Y nosotros, en esa charla, meses antes, discutiendo la anormalidad de meterle la pinga loca a alguien por Detroit, Michigan.

"¿Tú no serás choto, ¿verdad?", me preguntó Esposo Chistoso.

Yo dije: "No."

Ja ja ja, todos rieron. Qué ocurrencia, El Nuevo no puede ser maricón, no no no.

Y yo pensé en todas las veces que fingí ser joto en el chat. Haciendo que algún puñal en algún lado se masturbara y eyaculara el monitor motivado por mis palabras.

Ja ja ja, todos rieron de nuevo. ¿Pero en qué cabeza cabe? El Nuevo no puede ser leandro, no no no, él está entusiasmadísimo con Midyet, él está empezando su noviazgo con Midyet, es imposible que sea cuchillo.

"¿Yo qué?"

La voz de Esposo Chistoso se escuchaba lejana.

Más vino. ¡Pronto!

Me volteé, apanicado. Esposo Chistoso regresaba de una cava de madera improvisada que estaba a unos metros de la mesa.

"¿Yo qué?", repetí al verlo acercarse.

"¿Tú qué?"

"¿Yo estoy empezando qué?"

En la mano izquierda cargaba una botella de vino tinto. Padre Kino.

"Dije que tú estás empezando con Midyet. No le hubieras pedido que fuera tu novia si no te gustara, y para que te guste tienes que ser *normal*, ¿cierto?"

La náusea.

En el código no escrito de la comida rural en el fraccionamiento Bosque Encantado "normal" significa heterosexual.

"Qué tonterías dice, ¿no, mi amor?", Midyet me dio un besín en la mejilla.

Padre Kino. Con razón me dolía el estómago. Y la cabeza.

De nuevo pueden poner *slo-mo* en su VCR y verme levantarme, pálido, dejar caer mi vaso al suelo y con un brazo tirar la botella de Padre Kino que Esposo Chistoso traía en la mano, y admirar cómo se rompe en docenas de piezas, y observar el líquido rojizo esparcirse por el piso de adoquín y las patas de la mesa y los tobillos de los que estamos cerca.

Silencio.

Yo respiraba pesadamente. 1, 2.

El cenador, muy serio, se puso de pie. Con un dedo porcino me señaló.

"¿Qué chingados fue eso?"

3, 4, 5.

"El senador te hizo una pregunta", dijo Primo Perfecto.

6, 7, 8.

Una lágrima comenzó a derramarse por la mejilla de Esposo Chistoso.

9, 9, 9...

"Ésa era una buena botella de Padre Kino", sollozó Esposo Chistoso, pero yo, cosa curiosa, escuché "*that was a damn fine bottle of Padre Kino*".

Pueden quitar el *slo-mo*.

Un "¿qué fue eso?" surgió de mi boca, "¿qué fue eso?" Me acerqué al cenador de manera retadora. "Su vino es una mierda", le grité, "¿cómo se atreve a darnos Padre Kino, salvaje?"

Silencio.

"¡Hombre de las cavernas! ¡Pervertido!"

Con una velocidad centelleante, Midyet me tomó de los testículos y apretó. Y apretó.

Ung.

El cenador, lentamente, tomó asiento de nuevo. "Déjalo", dijo, con un ademán, desde su trono de Rey de Chocolate.

Ung. Ung.

Caí de rodillas. Midyet me había soltado ya.

"Tiene razón", el cenador suspiró, derrotado. "Este vino es muy malo. No es justo lo que hice."

A continuación, dio un golpe en el brazo de su silla.

"¡Ésta es una ocasión memorable y yo lo echo a perder con un vino de quinta!"

Como pude, regresé a mi asiento. Esposo Chistoso, con una servilleta en la mano, me dio una palmada en el hombro.

"Eres buena onda, Nuevo."

"Por favor", comenzó el cenador, "acepta mis disculpas. Mi hija y su novio no merecen esto".

Mis ojos se clavaron en Pixie.

Pixie arqueó las cejas. Hizo una imperceptible mueca de tristeza.

Quise decirle "las flores eran para ti" y "tu papá debería de referirse a ti como mi novia", pero de mi boca no salió nada. Durante ese extraño momento, mi lengua y mi cerebro no estaban conectados.

Es como cuando instalas mal tu impresora y la computadora no la reconoce.

"Lo entiendo señor", dije, solemnemente. "Pero mi novia, su hija, y yo, estamos con todos ustedes, y eso es lo que cuenta."

¡Cerdo falso!

¡Mierda! ¡Eres un mierda!

¡Traidor!

¡Arderás en el infierno! ¡Tendrás una muerte espantosa y dolorosa!

Primo Perfecto sonrió de oreja a oreja. Sus dientes eran como un xodido ejército de merengues, derechitos, listos para que les tomen fotos. Y esa boca. Qué extensión. Era tan ancha como una tabla de surf.

"En el Tecnológico no pensamos así", dijo. "En el Tecnológico tenemos una filosofía de no conformismo."

Eructé.

"¿Perdón?"

"Eso que acabas de decir de lo que importa es estar juntos y bla bla bla. Es una forma de manifestar conformismo."

"¿Estás hablando en serio?"

"¡Cuá!", Primo Perfecto dio una risotada. "¿No es eso ser conformista? ¿Tomar esta basura en lugar de un buen vino?"

"Hablas en serio", afirmé con la bocota abierta.

"Increíble", Primo Perfecto sacó un llavero de su bolsillo. "¿Qué es esto?"

"¿Qué?"

"¡Esto!"

"¿Un llavero?"

"No, es donde cargo la llave del Mercedes que manejo y que está estacionado afuera. No es cualquier llavero." Soltando una risita dentada, se volteó hacia el cenador y me señaló con el dedillo meñique: "Por supuesto, no tiene mi misma preparación", le dijo. "Ve el mundo de una forma totalmente diferente. Inferior. Crudo, pero sencillo."

Así fue como conocí a Primo Perfecto.

"Tienes razón", concedí y añoré tener, caray, una copa de Padre Kino en las manos.

Verán, pude haberle dicho a Primo Perfecto que durante seis años estudié una carrera en una de las mejores universidades privadas del país de la que salí titulado con especialización-máster, que he tomado trece cursos de intercambio en Estados Unidos y asistido a docenas de conferencias y seminarios. El problema es que Primo Perfecto me diría que él llevaba ocho años estudiando una carrera en *la* mejor universidad privada del país y saldrá titulado con especialización-máster y pase directo para su doctorado en UK, ha tomado veintisiete cursos de intercambio en Estados Unidos y asistido a cientos de conferencias y seminarios.

En sus propias palabras, el Tecnológico es el Tecnológico.

Si le dices que en Toronto hay un lugar de entrenamiento de deportistas de alto rendimiento que posee nueve piscinas olímpicas, Primo Perfecto responderá:

"En el Tecnológico tenemos uno de once piscinas. De hecho, es el complejo cubierto más grande de América."

Si le dices que en Brasilia hay un centro de investigación con quinientas catorce computadoras conectadas en red, Primo Perfecto responderá:

"En el Tecnológico tenemos un centro de investigaciones con ochocientas computadoras conectadas en red. De hecho, somos la universidad con más computadoras en América."

Y si le dices que en Quintana Roo hay un balneario con setenta especies de peces diferentes, Primo Perfecto responderá:

"En el acuario privado del deán del Tecnológico conviven más de doscientas especies de peces diferentes. De hecho, es el acuario más diverso de América."

Así es con los pendejillos que estudian o estudiaron en el Tecnológico. Ellos siempre son lo más grande, lo más largo, lo más caro, lo más completo, lo más novedoso, lo más sofisticado. Los vecos del Tecnológico se sienten el fluido vital que mueve la vida en este país. Miguel Ángel Cornejo es su Gran Chamán.

Imaginen al Implacable Recién Egresado del Tecnológico, cansado pero victorioso después de su Divina Cruzada Universitaria de Ocho Años. Está disfrazado como Sir Perceval, y ha alcanzado el Santo Grial, cuya luz inagotable casi, casi lo ciega. ¡Es tan hermosa! Pero Miguel Ángel Cornejo se encuentra a su lado, inmaculado, con una túnica blanca y un libro de consejos empresariales en la mano.

El Implacable Recién Egresado del Tecnológico deja su Espada del Conocimiento a un lado y, humildísimo, se pone de rodillas:

¡Oh, Gran Chamán! ¿Qué habrá de comer hoy?

"Hoy habrá Excelencia."

¡Oh, Gran Chamán! ¿Qué cuento nos leerá hoy antes de dormir?

"Hoy les leeré el cuento de la Productividad."

¡Oh, Gran Chamán! ¿Qué supositorio nos meteremos hoy?

"Hoy les meteré el supositorio del Éxito."

Es tiempo de que el Implacable Recién Egresado del Tecnológico empuñe de nuevo su espada y salga al mundo a cortar las cabezas de los mediocres, los holgazanes, los improductivos, los desorganizados.

Puedes identificar a alguien del Tecnológico porque es el único que, en una reunión social, se pone a definir palabras que, en realidad, valen verga: "¿Cuál es la diferencia entre eficiencia y eficacia?" "¿Cuál entre profesional y profesionista?" "¿Cuál entre 'soy un ojete' y 'soy un culero'?"

Para el Implacable Recién Egresado del Tecnológico sí existen las diferencias. Y, si lo dejas, puede estar horas discutiéndolas contigo.

Ésos son los vecos que terminan peor. Llegan por docenas a la compañía, altivos, sabelotodos, y unos meses después viven en una clínica para enfermos mentales, se dedican a pintar acuarelas en bata a las once de la mañana, no se pueden afeitar solos y toman un arcoiris de benzodiacepinas en vasitos como de Danonino.

Ésos son los comemierdas que llegan a la empresa y después lloran porque extrañan su dormitorio en el campus. Yo les saco el corazón y me lo como frente a sus maestros y catedráticos. Los aviento a un gran bote de basura que está en el piso sesenta y tres, en donde tiramos los marcadores secos y los post-its que se han quedado sin pegamento, y luego le entrego los restos a sus padres, y les aconsejo que no vuelvan a gastar su dinero en una universidad tan cara como el Tecnológico, pues eso no sirve absolutamente de nada.

La educación se mama.

Yo soy un sobreviviente.

La comida casi estaba lista, y Primo Perfecto, después de recitar ciento catorce razones por las que el Tecnológico es lo mejor que le ha pasado a la humanidad desde la penicilina, parecía estar listo para decapitarme con su espada flamígera.

¡Infiel!

¡Infiel!

¡Infiel!

Un grito agudo me salvó de terminar como el mamón de William Wallace.

"¡Mod!"

Ése fue el grito agudo. No identifiqué quién lo exclamó.

Ahí parado, un veco cuarentón, vestido con un saco de pana y pantalones de algodón azul marino. Sonreía.

Parecía estar contento.

Se me entumió un dedo al verle el rostro. El veco se notaba cansado, sin duda, pero satisfecho.

Esa última idea me divirtió.

Le pregunté a Primo Perfecto si él alguna vez se sentía satisfecho.

"Jamás", respondió lapidariamente. "En el Tecnológico no conocemos la palabra conformismo."

Creo haber preguntado si se sentía satisfecho, no conforme.

"Te digo de nuevo que no conocemos la palabra conformismo."

Ya llevaba un tiempo sin reír. Reír en serio.

"Si le preguntas a alguien '¿cómo amaneciste?'", dijo Steve Buscemi en una película, "y te responde 'satisfecho', te dan ganas de golpearlo en la cara".

Risas. Risas locas.

Reí hasta que el cuarentón besó a Pixie.

El grito agudo, el que me había rescatado, había sido de ella. Era un grito regular, de esos que sueltan las ptitsas cuando ven a alguien a quien tenían mucho sin ver, ya saben.

No así el beso.

Hay muchos tipos de besos. Cuando veo a madre, por ejemplo, tengo que besarla, así es que trato de hacerlo lo más rápido e indoloramente posible. Ahí está, un besín en la mejilla. Cuando, muy de vez en cuando, tengo que saludar de beso a una clienta o proveedora llevadita, pongo mi mejor cara y mi mejor cachete, y finjo una sonrisa charming. Cuando Midyet me besaba, bueh, yo sabía que eso podía degenerar en hora y media de bondage y sadomasoquismo, así es que cerrar los ojos y dejarse llevar es lo mejor que uno puede hacer.

A mí, en lo personal, me gusta cuando me dan besos en el pene. Pero eso no viene al caso, no. El beso que el cuarentón le dio a Pixie en esa ocasión era un beso tremendo. Era un beso pasional pero a la vez sincero y a la vez equilibrado y a la vez obvio.

Es increíble cómo un algo puede significar varios algos.

El otro detalle era que la besó en la boca.

Así fue como conocí a Mod.

Puedo jurar que sentí un espasmo en el estómago. Al ver a ese anciano chupar de tal forma la trompa pixiesca, imagínenme, por un segundo, disfrazado de Nosferatu, capitanegra y cuelloparado y testapelona y dedoslargos, mirando inerte un rayo de sol que entra por la ventana.

Ah, desintegrarse. Ah, nada más que ser nada. En un momento, ocupar un lugar en el mundo y, al otro, ninguno.

Al despegarse las bocas, ella colocó sus brazos alrededor del cuello de Mod. Se acercó a besarlo de nuevo, y yo cerré los ojos de inmediato.

¡Ah el sol quemante!

¡Realmente la estaba besando!

Aventé a Midyet a un lado y corrí al baño. Llené el lavabo y sumergí la cabeza ahí.

Ah.

Verme en el espejo. Una triste pintura al óleo corrida.

Regresar al lavabo.

Ahogarse. Ahogarse ya.

Ah.

Abrir los ojos.

Ahí, sobre la textura de porcelana, pude ver algo. Primero eran como sombras. Luego, figuras que se movían de un lado a otro al ritmo de las ondas de agua. Eran vecos y estaban caminando en algún sitio. El lugar era una plazoleta de Naucalpan, llena de gente y palomas obesas. Hacía frío, como siempre. Mis amigos, los amigos que había dejado atrás para convertirme en un gusano corporativo, paseaban por el lugar. Ahí estaba G., comprando el periódico en el quiosco de revistas, y H., tomando agua de un bebedero, y F., caminando alegremente de la mano de su novio, haciéndole piruetas y contándole historias graciosas.

Ahogarse. Ahogarse ya.

Mi sobrino Cole pasó, corriendo, sujetando su avión de plástico.

Sonreí.

Ah, mi distorsionada sonrisa por el agua.

Quizá, pensé, había descubierto una puerta dimensional por la que podía huir de Saltillo-Ramos Arizpe y viajar, instantáneamente, a Naucalpan, al gris y taciturno Naucalpan, a mis viajes en un Chevrolet por el Lyndon B. Johnson, a perseguir negras buenísimas con las vanettes llenas de bolsas del *grocery,* a charlar con Joey Brocoli, el negrillo pendejo del Pueblo de Lomas Verdes.

Regresé a la mesa en donde estaban el cenador y Midyet y Primo Perfecto y Esposo Chistoso y Pixie y Mod y una docena de robots. Una desagradable sensación se apoderaba de mí.

Ya saben, ese viejo sentimiento de que alguien sale sobrando.

Ese mismo sábado, las visiones no pararon.

Ésta es la historia de cómo me obligaron a casarme con Midyet.

Ustedes conocen lo que se dice en estos momentos, y yo lo diré ahora: "Nunca pensé que llegaría a casarme." Cua cua, pueden reírse. Sueno tan falso.

Pero yo soy un falso de mierda. Yo no valgo un quinto. Eso ya lo saben.

Voy a decir otra frase prefabricada. Compro estas expresiones en paquetes de cinco en Home Mart. Y con el gafete de la corporación me hacen un descuento del quince por ciento. Aquí va: "Vivía mi vida como todo bachelor debía hacerlo: ríos de alcohol, agendas llenas de socialités y bacanales en la de Rayón, garlopas sucias y depravadas, y un empleo estable y bien pagado."

La siguiente me costó un poco más (seis noventa y nueve), pero valió la pena, pues tiene un dejo de, ji, ironía: "Hoy hablo desde el incómodo lecho nupcial: varios y extraños acontecimientos me han traído aquí, a este hermoso lugar de horrores alcalinos."

¿Qué tal?

Para mi tranquilidad, y la de todos en general, debo hacer una aclaración: aunque continúo casado, al menos legalmente, no sigo viviendo con Midyet. Varios y extraños acontecimientos, ji, me llevaron de vuelta, ji, a la hermosa soltería de, ji, bellezas alcalinas. Ya habrá tiempo de tocar el tema de mi libertad recuperada, mi soltería devuelta. No de momento. Ésta es la historia de cómo me obligaron a casarme con Midyet.

Ahora les voy a decir mi frase prefabricada favorita. La bolsita en la que venía tenía un holograma que aseguraba su autenticidad. (También traía un cupón para participar en el sorteo de un Peugeot.) Y va así: "Midyet es mi esposa. La amo como un loco aunque sólo la conozco desde hace diez días. Me refiero a conocerla a fondo: es mi amor secreto de la infancia, pero hasta hace poco tuve la fortuna de adentrarme en este hermoso ser humano."

Lo interesante es que en realidad sí llegué a usar esta frase prefabricada. Uno de los problemas de las frases prefabricadas es que tienes que aprendértelas de memoria, y eso a mí me cae en la punta de la verga. Ya saben, hoy en día todos presumimos de tener mala memoria, pero no mala inteligencia. Bueh, yo tengo ambas cosas mal. Como sea, finalmente aprendí la frase prefabricada. Y la usé. Más tarde verán de qué forma.

Unas semanas después de aquel sábado, yo estaba en el altar, de rodillas, paroleando la peor clase de mamadas que he dicho en mi vida. Ni siquiera las frases prefabricadas son tan cerdas y arteras como las cosas que se dicen ahí. Una hora antes de que empezara la ceremonia, me senté a descansar en una banca afuera de la catedral. Anteojos oscuros. Nervios. De hecho, quería llorar. Y es que no todos los días te obligan a casarte con alguien, ¿verdad?

"Nadie te puso una pistola en la cabeza" es otra frase prefabricada. La encuentran en el anaquel que está arriba de la Sección de Saludos Afables Para Recibir A Tu Jefe El Lunes por la Mañana. Obviamente, a mí me la dijeron. Yo la recibí cuando le comenté a mi hermano Clavius que si me casaba lo hacía en contra de mi voluntad.

"Nadie te puso una pistola en la cabeza." Ése es el tipo de frases prefabricadas que usa la gente con "sentido común". Esa calaña de perros se ha adueñado de la propiedad intelectual del chasco de la pistola y la cabeza, pero yo sé que han ido, de noche y con gabardina y bucket hat, a meterse a un Home Mart a comprarla.

Los egresados del Tecnológico tienen un treinta por ciento de descuento en la compra de frases prefabricadas. De hecho, me han comentado que los egresados del Tecnológico se mandan tatuar una frase prefabricada en el culo, pero no he podido constatarlo.

Midyet estudió en el Tecnológico y no se la he visto, lo que derrumba dicha teoría.

Pueden imaginarme, una hora antes de la ceremonia, esforzándome hasta hincharme los huevos con los poderes mentales que no tengo por materializar a un cabrón con una pistola para que me apuntara a la cabeza.

"¡Di que sí hijoputa o te vuelo la tapa de los sesos!"

Al menos así tendría un pretexto para casarme.

Un pretexto con mucho, ji, sentido común.

La verdad es que no tenía una excusa real. Nadie creería mis motivos.

Derrotado, y con los yarboclos morados y del tamaño de un balón Spalding licenciado por la NBA, recliné la espalda en el respaldo de la banca y traté de imaginar una situación diferente. Armé una visión de amor y felicidad... quizá en Navidad... todos con abrigos y bufandas, y cargando enormes cajas rojas con moños...y mi suegro conversando con padre y madre afuera de una tienda, y saliendo de ésta, una fresca y porcelanizada belleza... Midyet, radiante, hermosa... amor... tan pequeña que podría perderse en un tablero de ajedrez... uno de sus hombros tímidamente asomándose por el abrigo lanudo, cual manubrios de bicicleta, y su cuello como toma de agua, y sus cabellos como lacios y largos cables coaxiales negros cayendo desde la perfecta azotea blanca de su rostro.

Imaginé que corríamos a abrazarnos enmedio de los suegros. Ellos sonreían, satisfechos.

"Nos vamos a casar", decía yo, después de besarla suavemente.

"Sí, y seremos felices", replicaba Midyet, y madre se tapaba la boquita pintada con sus guantes de tafeta.

Ah, y los copos de nieve comenzaban a caer. Imaginen el final de *Edward Sccisorhands*.

Clavius me despertó de mi ensueño. Me recordó, con su esmoquin y su Rolex y su cara de bulldog estreñido, que el aquí y ahora era en la catedral de Saltillo, y que el pelotón de fusilamiento me esperaba junto al altar, a un lado de la Virgen.

Si Clavius estaba ahí significaba que había viajado de Naucalpan a Saltillo. Y si había viajado de Naucalpan a Saltillo era porque algo importante iba a pasar o había pasado. Y si había viajado de Naucalpan a Saltillo porque algo importante iba a pasar o había pasado mis opciones se reducían a dos: o me casaba o me enterraban.

No estaba muerto; luego, me casaba.

Me casaba; luego, estaba muerto.

No tengo cuernos; luego, no soy un hombre.

Clavius se alejó meneando la cabeza. Nunca ha compartido mi afición por los silogismos.

Cerré los ojos y continué armando mi escena idílica. Mi propia y privada escena idílica. Formé, con un poco de esfuerzo, una máquina de escribir portátil Remington con cinta de carrete y empecé, poco a poco, a teclear la historia de mi casamiento como debería de ser:

"El lento proceso de la adquisición de esmoquin, vestido, salón y compadres fue algo que se escapó de mi jurisdicción. Mis narices estaban más comprometidas en otro tipo de asuntos, así es que sólo de oídas me enteré de los pormenores de la boda civil, la religiosa, el festín y la jánimun. Bah, pero no me preocupaba, pues la ptitsas deben dedicarse a lo suyo y los vecos a lo nuestro. Podía ver a mi suegro en la tienda Armani que está en la de Victoria, escogiendo sus mancuernillas, y a mi adorable Midyet en calle Durazno, ilusionada, comprando la tela para el vestido.

"Durante esos meses, y aunque el corazón se me secaba de tristeza, frecuenté a Midyet más bien poco. No obstante, las noticias en casa eran aún más curiosas y me mantenían bien entretenido: madre tenía un nuevo pretendiente, un médico viudo, pero al mismo tiempo, y esto es lo irónico del asunto, padre parecía querer regresar con ella y pedirle perdón de rodillas por todos los años de vejamientos y humillaciones. Ay, estos viejos, parecían lepes. Marpis y Karen me hablaban a diario para discutir los pormenores del enlace (que yo desconocía, como les he comentado), y hasta en la oficina el tema habitual era la forma en que yo, el empleado más popular, el incasable, el deseado bachelor, finalmente había sido pescado.

"'¡Ah, qué mujer más suertuda e inteligente debe ser la que logró domarlo!', decían las voces, usualmente femeninas, en los pasillos de la empresa.

"Finalmente, este dulce oleaje de emociones terminó en el último día de octubre, cuando contraje nupcias con el amor de mi vida, la chiquilla a la que me guardé, casto y virgen, durante todos estos años. Madre lloró y padre tomó fotografías. Y yo me sentía intocable ante las cosas malsanas del mundo: nada podía apartarme de la felicidad.

"Y la novia, ah, travieso pajarillo, cuánto había cambiado. Qué diferente era la mujer que en ese día me era entregada en comparación al sueño amoroso de mi juventud: en donde antes habían estado unos ingenuos colchoncillos pechales, ahora se encontraban unos desarrollados senos, argénteos y suaves cual merengues. Y su cabello era más corto, aunque sus caderas habíanse ensanchado. Pero yo la recordaba igual de radiante, celestial.

"Su esencia, su esencia era la misma. Gracias, Dios.

"Ningún día tan feliz como aquel en el que dije 'I do'.

"En el festín, comimos, brindamos y danzamos *mamushka.* Luego, algo de acordeón y batacata. No me vi en pies tan ágiles sino hasta aquella ocasión: Midyet me hacía reír, y yo a ella (en cierta ocasión leí en la columna de A. Lamont que es muy importante hacer reír a las ptitsas para conquistarlas, aunque mi prometida conquistada estaba, y qué conquista, Dios, qué regalo).

"Y entonces, ay, partimos el pastel. Y luego, ay, nos besamos, y sus labios eran, ay, como el café que venden en Perote."

Bueh, no podía seguir con esa mamada. Ya fuera porque la hoja se me había terminado o la pendeja Remington mental se había xodido la crisma, pero no podía continuar.

Me levanté de la banca. Se acercaba la hora. ¿Cómo llegué hasta ahí? ¿De qué manera los acontecimientos me habían llevado hasta ese lugar?

Ésta es la historia de cómo me obligaron a casarme con Midyet.

Aquel sábado de la comida campirana, Midyet me convenció de sacarla de ahí y llevarla lejos del fraccionamiento del Bosque Encantado. Eso no tiene nada de extraño, considerando que soy un hipócrita, un taimado y un facilón. La carretera que corta la fría sierra nos sacó de Arteaga y nos metió en el bulevar de la mancha urbana de Saltillo. Atravesamos las calles de Rayón, General Cepeda, Aldama y de ahí hasta la de Victoria, cerca de donde los vecos patinan en hielo. Tomamos entonces el periférico y nos enfilamos, por una desviación, hacia las colinas de Petey.

Bueno, si Saltillo-Ramos Arizpe es la xodida capital de la mierda, gris, contaminada y fría, la caverna de Petey en la que Midyet me indicó que parqueáramos en reversa el Audi es el auténtico corazón de las tinieblas. Hasta me pareció ver a Conrad mendigando un dólar por ahí, entre los arbustos.

No bien apagué el auto, me besó de una forma diabólica. Luego me dijo "cógeme", y yo pensé: "Bien. Cogemos, nos despedimos y no habrá más compromisos. Perfecto." Sugerí, estúpidamente, pasarnos al asiento trasero, pero ella me dio una cachetada.

No me pregunten por qué xodidos hizo eso. Confórmense con saber que lo hizo.

Echando las luces altas, señaló una barda de piedra que estaba a unos cincuenta metros de nosotros, más adentro de la caverna en la que nos habíamos incrustado. "Trepamos y del otro lado cogemos", instruyó.

Y yo dije sí. El muy pendejo. El gran pendejo de mierda.

Bajamos del coche y caminamos hacia la barda. Al sortearla, nos recostamos exactamente del otro lado. Midyet, como la gran puta que es, se levantó la playera ("Copyright") y me enseñó las lascivas tetas con los pezones erectos.

"Lámelas, muérdelas, sángralas", me dijo con la lengua de fuera, tocándose la punta de la nariz. He aprendido a no confiar en las ptitsas que pueden tocarse la punta de la nariz con la lengua.

Por un segundo no me moví. Después, por alguna razón, giré la cabeza a la derecha y ahí, en la maleza, vi un bulto semejante a un saco de papas. Primero fue la duda (pensé que era Conrad),

luego el temor; el bulto se movió y se convirtió en una persona, y ésta se puso de pie. Su rostro brillaba, y era enorme.

Creo que Midyet corrió lejos, despavorida. Incluso me pareció escuchar que gruñía al alejarse.

Extraño.

Luché con la aparición. Parecía imposible no ser vencido por aquélla, pero en realidad peleamos un buen rato hasta que tocó mi articulación femoral, y con eso dislocó mi fémur. Tendido junto a la ahora sagrada barda, el individuo me señaló con su dedo y con su voz de trombón paroleó: "Te casarás y luego tendrás un hijo y le llamarás Israel", y luego me bendijo y agarró monte.

Bien.

Evidentemente, mi historia tiene muchos agujeros ("cabos sueltos", diría Primo Perfecto). Jacob no salió tan mal de su lucha con aquel ángel o lo que fuera aquella vez en Palestina, y el mensaje era totalmente diferente, incluyendo el pequeño detalle de que su hijo no se llamaría Israel. La chingadera de la descendencia como el polvo de la tierra y bla bla bla pasó cuatro capítulos antes del episodio del ángel (o lo que fuera), y fue en Betel.

Pero olviden todo eso. ¿Cómo decirle a mi hermano Clavius que no me habían puesto una pistola en la cabeza sino que un misterioso emisario bíblico me había obligado a casarme con Midyet?

Luego comprendí mi error. Más tarde lo comprenderán ustedes.

Cuando Midyet regresó a mí ya había amanecido (la muy ramera se había hecho pendeja en el auto), y la acompañaban policías y paramédicos. Me llevaron a la clínica Muguersa y enyesaron mi pierna y me pusieron un clavo de titanio porque resultó que el emisario hijoputa no sólo había zafado la cabeza del femur sino que, delicadamente, lo había roto, y pequeñas astillas se diseminaban por esa área, y desde entonces cojeo.

Bueh, la verdad es que no cojeo. Lo dije porque soy un falso.

El domingo me dieron de alta, y esa misma noche Midyet fue a verme al departamento. Me anunció que estaba embarazada. En otras condiciones me hubiera sorprendido. No en esos momentos, no cuando luchas y eres derrotado por una cabrona aparición pseudobíblica. Bajo esos términos, puedes esperar cualquier cosa, incluyendo preñar a alguien con sólo verle las tetas ("Copyright", ajá). En esos mismos momentos, bajo la luz del vapor de sodio, acordamos "formalizar" nuestra "relación" en el altar. Midyet alcanzó el teléfono inalámbrico y me exigió que llamara inmediatamente al cenador. Yo no sabía qué decirle pero, afortunadamente, recordé aquella frase prefabricada que había comprado tiempo atrás. En cuanto el cenador estaba en la línea, recité:

"Midyet es mi esposa. La amo como un loco aunque sólo la conozco desde hace diez días. Me refiero a conocerla a fondo: es mi amor secreto de la infancia, pero hasta hace poco tuve la fortuna de adentrarme en este hermoso ser humano."

Así fue.

Ahora vuelvo a mi cara de pendejo, afuera de la catedral de Saltillo, esperando que el *superieure* me casara con una auténtica hija de perra en la capilla de Cristo Rey. Yo no me quería casar. Yo no quería decir sí. Yo quería salir corriendo y esconderme y quemar el esmoquin y rentar *Never Been Kissed* en un estanquillo de Blockbuster y masturbarme viendo las lonjas de Drew Barrymore. Yo quería jugar *Pokémon Silver* en mi Game Boy. Yo quería volver a mis largos domingos vacíos.

Ésa es la historia de cómo me casé con Midyet.

Nuestra primera pieza fue "*Just Another Sucker On The Vine*" y la ejecutó Tom Waits, que casualmente pasaba por la ciudad en esos días. Vestía un frac azul cielo y zapatos de gamuza sintética.

SEIS

Si soy vicepresidente antes de los treinta, voy a proponer que todos los empleados viudos, sean vecos o ptitsas, reciban una pensión vitalicia y un paquete de prestaciones seiscientos por ciento más alto del que ya poseen. Así como la empresa promueve la productividad, yo voy a fomentar la viudez.

Nada como la paz del viudo.

La paz es el camino del viudo.

Podemos saltarnos la terrorífica luna de miel. Ya les he platicado algo de eso. Al regresar de la playa, resultó que el bebé no existía. Falsa alarma. No había nada. En su útero se acumulaban el moho y la suciedad. Podrían escarbarle a Midyet hasta hallarle ahí un huevito de Fabergé o incluso un Stradivarius, mas no un embrión.

El ginecólogo dijo que la nena "estaba nerviosa".

Esas cosas pasan cuando uno está estresado.

Mejor imagínenme, con mi mejor cara de imbécil y fondo musical de película de Woody Allen, cerrando con el pie la puerta del rickshaw y entregándole al coolie que nos llevó del aeropuerto al departamento, con la boca, un billete de cincuenta dólares.

¿Por qué el malabar? Porque a mi mujer se le antojó que la cargara en brazos desde el rickshaw al departamento.

“Es que es nuestra primera veeeeeeeeeeeeeeeez”, ladró.

La gran pendeja.

De nuevo, traten de verme cargando al impresionante mazacote de ciento ochenta y cinco centímetros por la vereda central del Melrose Place. Pueden imaginar, también, que todos los vecinos prepararon miles de pétalos de rosa para lanzarlos mientras pasábamos.

Lo último no es cierto.

También podrían imaginar que yo, después de luchar con el Fantasma del Génesis, era el Puto Rey Salomón o el Cabrón Juez De Los Judíos. Nada de eso. Era un pobre comemierda llevando en brazos a una desconocida a mi hogar, al departamento que, con tanto esfuerzo, páginas web y catálogos de telemarketing había acondicionado.

A esa gran puta.

En el momento en el que entramos en la casa y la deposité en el suelo, perdió los treinta y tantos centímetros que había ganado entre Monclova y Saltillo. Anonadado, observé cómo, por un acto de magia negra, se empequeñecía y caminaba hacia la cocina, de nuevo, hecha una pigmea.

Midyet es mala.

Mala.

Odio a mi esposa.

Yo no tengo “hobbies” como coleccionar tarjetas Topps, o grabar documentales en cintas VHS del Serengeti en Animal Planet.

“Hobbie” es una palabra de mierda.

Mi “hobbie” era planear formas de asesinar a mi esposa. Deshacerme de ella de una manera sangrienta y escandalosa. No me importaba que el mundo se enterara. Que me encarcelaran. Lo único que buscaba era no verla de nuevo. No despertar otro día y tenerla al lado, con su rostro desfigurado y sus comentarios llenos de saña y su ano en mi nariz, soltándome un chorro diarreico.

No voy a contarles la manera en que mis hábitos, mi desayunador, mi cagadero y mis canales del fido cambiaron (y no que eso no sea algo poco horrendo). Mi vida social, ésa sí, de la noche a la mañana, se había transformado. Me la pasaba en comiditas y cenitas, gastando tiempo con la asquerosa familia de Midyet o con sus compañeros de trabajo, que eran unos comejaibas de primera.

Madre, por su parte, se la pasaba llamando para ver cómo iba el bebé:

"Mamá, te he dicho un millón de veces que no existe ningún bebé. Midyet no está embarazada."

"¿Estás seguro? A veces los médicos se equivocan."

"Segurísimo. No pasó nada."

"¿Segurisisisisísimo?"

Y así, *ad infinitum*.

Repentinamente, Marpis organizaba excursiones de Naucalpan a Saltillo. Imaginen que pasan dos años y lo único que sabes de tu hermana mayor es que su vida es maravillooooooooosa por los largos monólogos que te escupe una vez a la quincena por teléfono y, de repente, de la nada, inventa toda clase de pretextos para ir a visitarte. Un sábado, ya bastante estupidizado por amanecer con Satanás a un lado, escuchas un toc toc en la puerta, abres y resulta ser tu hermana con su esposo cara de culo de asno, esbozando una sonrisa.

"¿Nos invitan a desayunar?"

Son mil quinientos kilómetros. Trasladarse de Naucalpan a Saltillo no es como tomar el puto coche e ir al Seven Eleven por cigarros. No. Es un viaje de dieciséis horas en auto. Dos horas y media en avión. Y así lo hacían ellos. Sin aviso alguno. Simplemente, ¡zaz! Vengo a acabar de hacerte mierda el fin de semana.

Otro sábado: "¡Pasábamos por aquí y pensamos venir a visitarlos!"

Parecía que la pendeja de Marpis había puesto una agencia de viajes.

Y sus charlas, Dios. La primera constante en la conversación de Marpis es "¿cuándo van a tener bebés?" De ahí salta a "no sabes lo caro que es el parto". La tercera es "deja que le salgan dientes. El dentista es una locura". Y la última: "No sabes lo carísimos que están los kinders."

Toda nuestra puta vida gira alrededor del dinero. Y si crees haber conocido a alguien interesante porque escucha discos diferentes que el resto de la gente o se caga encima de las películas de Hollywood, te sacará a colación lo CARÍSIMA que es la vida en Nueva York o Londres. Pendejos.

Todos te quieren impresionar con el dinero.

Odio al mundo.

Barbiquiú, sábado. No conforme con arruinarme la mañana con su jeta de piruja-casada-y-feliz, mi hermana Marpis y su esposo el cara de hemorroide, Danilo, han traido a Clavius y éste, por consecuencia, a su mujer, Debbie.

Si Marpis es un dolor en el culo, Debbie es como un tigre que de un zarpazo te arranca las dos nalgas.

Barbiquiú, sábado. Debbie, cruzando sus piernas de treintona señora madura y exhibiendo a los cuatro puntos cardinales sus riquísimas tetas colgadas de amamantar, desglosa las virtudes del exclusivo kinder de mil ochocientos dólares mensuales en el quc inscribieron a mi sobrino Cole:

"Es bilingüe. Toman todas las clases en dos idiomas."

"Bueno", digo con mi cara de inepto villamelón, "es importante que los lepes aprendan inglés desde chavales para que puedan compararlo con el español".

"No", me corrige, "son clases en inglés y francés".

"¿Y el español?", pregunto, abriendo la bocota.

"¿El español?"

"¿'El español', dijo?"

"¿Qué paroleó este lerdo?"

Allá van todos, como siempre, a burlarse de mí.

Luego, *as usual*, alguien suelta una de mis frases prefabricadas favoritas: "El que no sabe inglés y computación hoy en día es un analfabcto."

Zzzzzzz.

"Mi amor", dice Midyet fingiendo una dulce voz pero apretándome un testículo por debajo de la mesa, "¿qué no sabes que todos los lepes que crecen hoy en día sin inglés y computación son unos analfabetos?"

Respirar. Ese pobre huevo mío.

"Pero no importa", remata el cara de panocha de gallina de Danilo, "ya aprenderás". Y luego, con un tono paternal: "Ya tendrás tus propios hijos y verás en qué consiste la maravillosa aventura de ser padre."

Que alguien quite ese pendejo disco de Richard Clayderman, por favor.

"Eres joven", dice Marpis, "pero ya estás en el camino correcto. Educar a los lepes es duro, pero lo disfrutarás".

Me caso y, repentinamente, soy parte del club. Creen que tengo un doctorado en temas cachunes. Creen que soy un erudito en planchas y cafeteras y exprimidoras de jugos y licuadoras y minihornos. Me caso y me consideran un experto en pañales y mordederas y mamilas y estimulación temprana.

Tengan su estimulación temprana: ¡métanse este dedo por donde les quepa!

Me casé, bien. Ya pasó pendejos, no fue nada. Simplemente dije "I do" y ya. Sí, la cagué, ajá, pero fue MI CAGADA. ¿Ah, no es un error? ¿Fue la mejor decisión que pude haber tomado? Bien, soy uno del equipo, no se preocupen. Denme mi sudadera. Dice La Gran Fraternidad de Cachunes Conversos a las Virtudes del Matrimonio. Y con letrotas rojas. La Asociación de Xodidos Mandilones Recién Desvirgados. Denme mi gafete. Denme mi *nametag*. "Hola, soy Fandy. Me llamo Fandrés pero me dicen Fandy. Y mi esposa me dice Fandy the Faggot."

"Hola, soy Chuckie."

"Hola, soy Punquis. No haré travesuras."

"Hola, soy Lamoncito, el cargabolsasdelsúper."

"Hola, soy Mandito, el lelamoloshuevosalsuegro."

"Hola, soy Callis, el nolesubasalradioquedespertarásalosniños."

Vino y queso, viernes. Cena en casa de Amigos Cagantes de Midyet. Amigos Cagantes trabajan con ella y son unos sabelotodos. Compran libros de historia del arte y se aprenden los pies de foto para hacer comentarios sabihondos en los museos. En las reuniones, cuando nadie habla y se forman esos silencios incómodos (alrededor de la una de la mañana), sacan a colación el viaje "regalado" que hicieron a Italia en verano. Compran discos importados con portadas "padres" y nunca los abren porque se les olvida que son suyos, pero los guardan en su anaquel de Dolce & Gabanna que el maricón de "Papi" le regaló a la lesbiana de "Mami" el diez de mayo. Se enorgullecen del dispenser de noventa dólares que le compraron a su mocoso para que almacene las doscientas cintas de VHS de Disney que han ido acumulando. Se emocionan porque Saks Fifth Avenue anuncia una venta nocturna.

En otra ocasión, comentaron que iban a tener un segundo hijo. Esa panza de cerda que tenía Señora Amigos Cagantes era porque estaba empollando un feto (y de ahí que pusiera al robot a tejerle una chambrita).

"¿Qué te parece?", me dijo Midyet cuando apenas nos instalábamos en la sala de Amigos Cagantes y nuestra botella de vino-detalle-protocolario (lo de siempre, caraxo) era llevada al bar.

"¿Qué te parece?", repitió Midyet, impaciente.

Finalmente, me vale verga. ¡Por mí puede tener una camada de martuchas y luego arrancarse la matriz y colgarla en un tendedero y volver a ponérsela!

Mmm.

No llevábamos diez minutos sentados cuando Señor Amigos Cagantes sugirió, imagínense, que Midyet y yo tuviéramos un hijo. Yo salía del baño. El inconfundible sonido del agua yéndose por el escusado resonaba. Me paré enmedio de la sala, levanté los brazos como si fuera Lou Ferrigno, y grité:

"¡Guau! Esa caca debió de pesar como dos kilos."

En realidad, no dije nada. Soy un hipócrita y un taimado y un puñal, ¿recuerdan?

Midyet me tronó los dedos. Y yo corrí cual cisne a sus brazos.

"¡Cariñomío, cariñomío!", nos besamos y un ahhhhhh se escuchó entre los presentes.

Y yo pensé púdranse.

"Se ven tan bien juntos", dijo Señora Amigos Cagantes.

"Debo decirte, batuchka, que eres un tipo afortunado", graznó Señor Amigos Cagantes.

¿Yo soy un tipo afortunado? ¡Eso lo serás tú! Odio mi trabajo y tú eres feliz en el tuyo. Planeo formas de asesinar a mi esposa y tú, en la oficina, cuentas las horas que faltan para verla de nuevo.

Tampoco dije eso. Quizá ni siquiera lo pensé.

"Me da gusto que se den cuenta de que el dinero realmente no es importante", dijo Señor Amigos Cagantes.

¿Ah, no? ¿Tener todos los meses al arrendatario encima, cobrándote dinero, no es importante? ¿Entregarle tu quincena íntegra a la zorra maldita que tienes por esposa no es importante? ¿Formarse hora y media en la caja de Zara para hacer las últimas compras navideñas el veinticuatro en la tarde no es importante? ¡Debo de estar loco, debo de estar loco!

Lo siguiente es la continuación de su monólogo:

"Bueh, claro que la economía es un tema que hay que discutir.

"Pero no es lo esencial.

"Estás sano. Y tienes una bella esposa que te ama.

"¿Qué más necesitas?

"Aunque, pensándolo bien, quizá sí te haga falta algo.

"Un hijo, por ejemplo."

Barbiquiú, otro sábado. Devoramos, como las bestias primitivas que somos, tripas de animal muerto, carne asada y tintorro (no Padre Kino) en la mansión del cenador.

El cenador es un político de derecha.

El cenador es un político de derecha estereotipado (pero así es él).

El cenador es católico romano.

El cenador se la pasa hablando maravillas de la Iglesia. El cenador tiene una bendición autografiada por el Papa. Estoy seguro de que la compró en la Vatican Gift Shop, pero él insiste en que el Santo Padre se la firmó en persona y se la entregó en las manos.

El cenador va a misa todos los domingos y comulga y luego saluda a los parroquianos en el atrio, pero yo sé que entre semana se empeda con el *superieure* y juntos se van a coger putas de un antro que está en Petey. El cenador siempre habla de las bondades de ser Soldados del Señor cuando hace reuniones para él y sus ladrones compañeros de carrera, pero yo sé que cuando pasan la charola para el diezmo se hace pendejo y juega billar de dos bolas con las manos en los bolsillos y mira hacia arriba y chifla la Macarena.

A mí me caga la Iglesia. No es que nunca haya sido católico. Después de todo, me bautizaron en la fe católica. Eso tampoco quiere decir que de dos meses de nacido me haya parado junto a la puerta con mis piernas de marrano y le haya dicho a madre y padre "no me muevo de aquí hasta que me lleven a bautizar, cabrones".

También hice la primera comunión, claro. Tenía once años. Leía la Biblia. Me emocionaban los sangrientos relatos de los jueces de Israel, y cómo Dios les metió la pinga hasta el fondo a los egipcios con todas esas plagas. Los libros de Levítico, Deuteronomio y Números me aburrían, pero ahora veo en dónde se inspiró la empresa para hacer los manuales de capacitación y especificaciones.

Después perdí la fe en la Iglesia. No tienen que llorar. No fue una cosa dramática a la Stephen Dædalus. No aluciné con el infierno y esas mamadas. Simplemente me cagué de ir a ver a un *superieure* que sólo sabía pedir y pedir y pedir desde el micrófono y no era para levantar un dedo y, por lo menos, bajar del púlpito a pedir limosna con sus propias manos.

Ahora me mantengo desde afuera. Veo las carreras desde la barrera. Es más cómodo.

Si llego a ser vicepresidente antes de los treinta voy a publicar un libro. He pensado en llamarlo *Blasfemias accidentales*. Apenas lo estoy bocetando, y tengo en mente dos interesantes eventos que posiblemente se suceden a diario en las miles de misas celebradas alrededor del mundo y que son, por así decirlo, "blasfemias accidentales" (de ahí el título del libraco, verán).

Primera blasfemia: de noche, un *superieure,* en la quietud de sus aposentos, estudia los Hechos de los Apóstoles. Es enero. Él vive en un viejo convento carmelita, de esos que tienen chorrocientos años. El lugar es de piedra. Estamos hablando de un cuarto con una alta bóveda. Muy frío. Y más para el pobre cura, que es oriundo de Tabasco y cualquier brisita lo pone con la carne de gallina. Acaban de pasar las fiestas. Tanto vino de consagración y nicotina (concédanme el hecho de que nuestro *superieure* fuma) han bajado ligeramente, casi de forma imperceptible, su sistema inmunológico. Para acabarla de xoder, los índices de enfermedades respiratorias han ascendido en los últimos tres años. A cierta hora, las diez y media, digamos, un pequeño remolino se apodera de su nariz. ¡Es un estornudo! El *superieure* no puede detenerlo. Acaba de lanzar, a ciento veinte kilómetros por hora, una nube de bacterias y mucosidad a las Sagradas Escrituras.

¡A la hoguera!

Segunda blasfemia: a un *superieure* le regalan un sofisticado micrófono Sony compatible con MiniDisc. Se lo ha comprado un pariente mientras viajaba por el norte y visitaba, aprovechando, algunas de esas pulgas monterrellenas. Con él, las alabanzas al Señor suenan divinas. El secreto está en la compatibilidad con el sistema Dolby Surround EX que, aunque no posee la parroquia de marras, termina por mejorar cualquier sonido, aunque sea un simple estéreo. Confiado, el *superieure* lo estrena en su homilía dominical. Lo que él no sabe, sin embargo, es que el avanzado micrófono Sony compatible con MiniDisc, pilas recargables Stamina (en este punto del relato ya creo que son las mejores), puerto USB, Memory Stick de 128 megas y conexión inalámbrica, tiene una función ahorradora de energía que lo pone en *sleep* después de un determinado tiempo. Es algo que puede modificarse accediendo a los *settings* del aparatejo desde cualquier PowerBook, pero él no lo sabe. Toda la misa corre bien, al menos hasta el momento de la Comunión. A la mitad de la presentación de la hostia consagrada, el sofisticado micrófono Sony compatible con MiniDisc se pone en *sleep*, o sea, se apaga. Nadie escucha nada. El *superieure* titubea horriblemente en el solemne momento: "Éste es el cordero de/

¡Ahórquenlo! ¡Descuartízenlo!

En ambos casos, los *superieures* son vecos consagrados a su profesión y tienen un buen corazón, pero se han visto condenados a las llamas del averno por un pequeño accidente. Un detalle que les ha costado la vida eterna y la resurrección.

El infierno casual sería un buen título también.

Pensé en platicarle mi idea al cenador, pero creí que sería un golpe muy duro para el chancho.

Soy un cobarde. No digo lo que pienso por temor a que me señalen.

¡A la hoguera!

Domingo, barbiquiú. La charla gira en torno a los ilegales guatemaltecos, la posibilidad de mandar golpear a un grupo de estudiantes comunistas que se reúnen cerca de la Narro y, de nuevo, las encomiables virtudes de los egresados del Tecnológico.

¡Arriba el Tecnológico!

¡El Tecnológico, Divino Salvador de Este País y Otros!

¡Emprendedores, emprendan una empresa, emprendan un empréstito!

Ovis canadensis es el nombre en latín para el borrego cimarrón.

Mod no estudió en el Tecnológico.

Eso lo hace más peligroso.

Pixie, abrazada de él, le daba de comer uvas en la boca. Aluciné, y ustedes también pueden hacerlo, que minutos antes se había metido con el racimo a la cocina, despachó lejos a dos que tres robots y, cuando nadie la vio, le metió una docena de viagras a las xodidas frutas.

Con razón estaba tan sonriente.

Luego le echó vino en la bocaza, consintiéndolo como esclava al César.

Ave Cæsar morituri te salutant!

Me los imaginaba cogiendo. Sé que es una ociosidad, pero realmente me devanaba los sesos tratando de imaginar cómo le hacía pitoseco para follarse a mi Pixie, a mi Pixie nalgasperfectas, a mi Pixie rostrodeángel, a mi Pixie meveobiendepants.

Quizá no cogían. Quizá aquélla era una relación maestro-pupilo. Venga, te enseñaré los secretos de la logia, los recovecos del universo.

"*You still have much to learn, my young padawan.*"

Bah, eso me deprimía.

Las relaciones maestro-pupilo tienden a ser largas.

En tanto, yo me separaba cada vez más de ella. Y al mismo tiempo, Midyet me arrastraba más a su lado. Una buena analogía sería pensar en un veco que, a la mitad del océano, es jalado por una funesta cuerda a alta mar y observa cómo el salvador bote se aleja.

Ésa sería una buena analogía, pero yo tuve un maestro en la universidad que decía que las analogías son la gran mierda y una pérdida de tiempo, así es que mejor las olvidamos. Además, lo de "funesta cuerda" no tiene ningún sentido.

Ésa era mi vida.

En otra vida eres bien parecido.

En otra vida tu cuenta bancaria siempre tiene dinero.

En otra vida nadie te obliga a casarte.

En otra vida tus amigos nunca te decepcionan.

En otra vida todos tus chistes son graciosos.

Pero ésta es tu vida.

En esta vida tú eres tú mismo y en esta vida tú tienes que vivir contigo mismo y esta vida es la única que tienes.

Corey y Vernon lo sabían.

En otra vida, no tenemos que viajar a Orlando o Anaheim para tomarnos una foto con Mickey Mouse.

Clic.

¡Sonríe!

Fuimos a Disney World. El cenador, Primo Perfecto, Esposo Chistoso y su mongólica mujer, Midyet, Pixie y yo. Mod no pudo ir. "Enredos familiares." Eso fue todo lo que escuché en esos momentos. "Enredos familiares." Quizá algún problema con su primera esposa.

Te das cuenta de que ya no eres un adolescoiteante cuando en tus conversaciones surge algún "conocido" que antepone algún valor numérico a sus relaciones conyugales.

Me emocionaba tomarme una foto con Mickey. En aquel entonces ya tenía veintiséis años y de todas formas me daba una peculiar excitación (palmas sudorosas, caspa a raudales, dedos pellejudos, tartamudeo) pensar que podía tener mi propia Polaroid con el Ratón Miguelito.

Highlights del viaje:

1. El cenador se roba los cubiertos de la comida del avión.

2. Primo Perfecto se la pasa solo y hasta cuando no es necesario (o sea, nunca) habla del Tecnológico. Debe ser homosexual. Tiene todos los síntomas.

3. Esposo Chistoso viste shorts con los calcetines que usa con el traje.

4. Mongólica Mujer deja en claro que es hipocondriaca. Fingió una extraña reacción a los camarones que comimos en un restorán francés de Epcot la primera noche. No salió del cuarto el resto del viaje.

5. Midyet tiene la fantasía sexual de abrocharse a un clerc. Si no, la maldita enana no le hubiera puesto las gigantescas tetas al cajero de la Virgin Megastore encima del mostrador. Deseé que le injertaran un código de barras y la vendieran de inmediato. Y en barata. *Sale! Sale!*

6. Pixie es un ángel.

Eso último ya lo sabían.

Pixie opacaba a Minnie Mouse.

¡Foto, foto!

¡Di whisky!

Clic.

Midyet canceló el viaje a la mitad (o sea, estábamos allá) por cuestiones laborales. Aquello era normal en ella, pero yo no lo sabía en esos momentos. Midyet trabaja en una gigantesca corporación que fabrica, vende y distribuye productos de consumo. Midyet es workaholica. Yo tampoco lo sabía. A Midyet se la coge Hank. Midyet me pone los cuernos con Hank.

Cuando tu "pareja" (otra palabra de mierda) es workaholica tiende a olvidarse de ti. Sí, soy un sexista de cagada, y creo que es más injusto cuando eso le pasa a un veco con una ptitsa que a una ptitsa con un veco. Después de todo, nuestros peludos antepasados que vivían en cavernas y salían a cazar mamuts eran vecos, no ptitsas. ¿Y acaso aquellas babuchkas primigenias se quejaban de que los vecos del clan salieran a traerles la xodida comida? No. Un rotundo no. ¿Y por qué ahora las ptitsas, que no son tan diferentes de las de hace treinta mil años, se quejan de que los vecos salgan, no a cazar mamuts, sino clientes, y no precisamente con cueros cubriéndoles la piel sino con trajes de lana que costaron un reputísimo ojo de la cara en el Florida Mall? Chillan porque ahora resulta que ellas también tienen derecho a "desarrollarse profesionalmente".

Otro xodido invento moderno.

Como si eso las hiciera menos pendejas.

Con todo, no me quejo porque ese tipo de "ideas modernas" fue lo que a la larga me liberó.

Midyet cogía con Hank. Y no precisamente a mis espaldas. Midyet se follaba a Hank catorce horas diarias, a veces en sábados y domingos y días festivos.

En Orlando conocí a Hank.

Hank es el nombre que le di al trabajo de Midyet. Es estúpido ponerle nombre a una abstracción (alguien me dirá que un empleo no es una abstracción, pero tendría que ver a un gusano corporativo triturándose los sesos frente a una terminal con numerillos y terminajos que en otra época más civilizada no significarían nada pero que son la crema y nata de la, uff, "era de la información". ¿Saben algo? Me paso a Alvin Toffler por los huevos. Y Negroponte se puede comer mi mierda. Y hoy comí esquite), pero yo soy un veco mediocre y necesito identificar algo al cien por ciento antes de meterlo en mi gulivera. Si Midyet me iba a ser infiel con su trabajo, lo menos era darle una forma humana. No sé si tenga algo que ver que en el avión vimos *Forrest Gump* doblada al castellano ("mi mamá dijo que la vida es como una caja de chocolates"), pero lo primero que plasmé en mi mente fue a Tom Hanks planchándose de perrito a Midyet encima de su escritorio, ella con el mouse en la mano y él dictándole fórmulas para calcular las últimas cifras del presupuesto en la hoja de cálculo.

Tom Hanks, *ergo,* Hank. ¿No son espléndidas las asociaciones de ideas?

El silogismo funcionaba así: Hank es el trabajo de Midyet. Ella pasa más tiempo con él que conmigo. Por lo tanto, Midyet me es infiel con Hank.

En un principio, algún insólito instinto de posesión (¡es mío, caraxo, es mío!) provocó un nimio sentimiento de celos cuando me enteré del chanchullo Midyet-Hank. Pero después me hice amigo del veco. Charlábamos de su colección de Óscares y del culito rosado con olor a malvavisco de Meg Ryan. Cuando descubrí que Hank era mi pasaporte de salida de El Error Midyet, lo solapé. Hasta le eché porras. Con el tiempo, él se quedaría con ella, y yo podría irme volando lejos, lejos. ¡Quizá hasta podrían filmar una película juntos!

A veces no soy tan pendejo.

El resto del viaje, con Midyet pasando un tiempo "bomba" al lado de Hank en Ramos Arizpe, fue como un sueño junto a Pixie. Aluciné que acababa de conocerla. Pixie era otra Pixie y yo era otro yo, y ambos nos encontrábamos en otro lugar y otro tiempo. Imaginé que Pixie trabajaba en Disney-MGM, en una atracción sobre el maravilloso mundo del cine o alguna mamada por el estilo. Mientras nos formábamos por horas para entrar en el *ride* de ahhhh-ya-terminó, me creaba una imagen mental de Pixie con Dockercitos azul marino, camisita blanca, pañoletita roja y boinita de lana, ligeramente inclinada a la derecha. Y un botón con su nombre: Pixie B. Animadora de Disney.

¡Algo excitante!

No me costó mucho trabajo imaginarla así, pues a Pixie le gustan los mcjobs. Pixie nació para atender a la gente en el mostrador de un Burger King, o hacer pizzas en Domino's o, claro, preparar las palomitas de caramelo en el cinematógrafo.

Y eso es maravilloso.

Véanme entrando en un parque de diversión de Disney, no con esas canciones de mierda de las pelis, sino con "*Lullaby of Birland*", pero cantada por Ella Fitzgerald. De la mano con Pixie, se abre ante mí el Mágico Mundo de la Fantasía.

Una noche fuimos a un antro, y yo soñé, despierto, que Pixie era la que despachaba las cervezas en una cubeta con hielos: tres dólares cada una. Podía verla, con vaqueros apretados y camiseta blanca, detrás de una enorme tina de latón esgrimiendo sus perfectos dientes blancos y unos ojos que brillaban cuando le extendías los verdes billetes. Alucinaba, ya muy chaqueto, que ella era texana, y en el baño hasta me ponía a practicar frases como "esos ojos texanos no los ves en cualquier lado". Pueden verme perdido en mis ensueños con una música de Duke Ellington. *The Mooche*. O, mejor aún, con "*Don't Stop Me Now*" de Queen.

Ésta es la parte mamona de "el videoclip". Pixie y yo corriendo, de la mano, por Animal Kingdom. La energética Pixie haciendo piruetas y vueltas de carro, y tratando de cachar los chorros de agua en los jardines de Epcot. Pixie embarrándome la paleta mickeyforme en la punta de la nariz, Pixie insertando un billete de cincuenta dólares en la máquina de tokens en la sección de máquinas de Arcade, Pixie comprando orejas de

Piglet para los dos en una tienda, Pixie haciendo muecas junto al dinosaurio de Lego de Pleasure Island para que yo le tomara otra Polaroid.

If you want to have a good time, just gimme me a call!

Bueh, una noche antes de regresar, la invité a pasar a mi cuarto. En el lobby ya no daban servicio, y nuestra única salida para alcoholizarnos era devastar las asquerosas Budweisers del minibar de la habitación.

La escena fue en el pasillo, junto a la puerta.

"¿Quieres pasar?"

Yo sólo quería sentir su tibio aliento. Yo sólo quería acariciar sus cortos cabellos. Yo sólo quería, después de mi última noche en la Florida, despertar en Venecia, despertar en París.

"Creo que mejor me voy a mi cuarto."

Ahora pueden ver a Pixie dando una coqueta media vuelta, lanzándome un beso con la mano y, con encantadora sonrisa, dirigirse a su puerta, meter la tarjeta-llave y desaparecer.

"¿Qué pasó con tu anillo?", fue lo primero que preguntó Midyet cuando la vi de vuelta en Saltillo.

"Se perdió", dije, secamente, y acomodé la maleta en una silla que estaba junto al fido. "¿Hay cerveza?"

Midyet, con la Palm en la palma, ji, de la mano, arqueó las cejas y me vio meterme en la cocina a paso veloz. Pensé, al abrir el fridge, que había algo extraño en ella.

Bueh, lo del anillo tiene su historia. Pequeña, pero la tiene. Aquella última noche en la Florida, después del triste cortón del que fui objeto, me encerré. Amargado, me metí en el baño. Me vi en el espejo. Mi mano. El dedo anular izquierdo. Ese xodido anillo de cagada. Salvajemente, lo arranqué de su lugar y lo miré con desprecio. Ese anillo se iba, en esos momentos, a la gran mierda. Ajá. Pensé en aquella escena de *An Officer and a Gentleman,* cuando el personaje de David Keith o Keith David se traga el anillo de compromiso frente a la perra que lo bateó, y deseé tener en esos momentos una botella de ron y a la putona de Midyet a la mano.

Pero lo cierto, y también lo xodido de la situación, es que yo no tenía ni una centésima parte de los motivos de David Keith o Keith David para arrojarme el anillo al estómago (sé que suena insólito, pero es cien por ciento posible).

Menos dramáticamente, lo aventé al escusado. Jalé la cadena. Me sentí triste. Sentí compasión por la pobre fosa séptica que iría a almacenarlo.

Ahora mírenme, de regreso, en el aeropuerto de Saltillo. Pueden verme con mi carota de pendejo, de bermudas, bucket hat, sandalias Nike y una playera aguadota de Eeyore, aguardando el arribo de mi maleta.

Midyet no me había ido a recoger. Telefoneé al Melrose Place, pero nadie contestó.

¿Qué estaría haciendo mi mujer?

Ninguno de mis compañeros de viaje podía llevarme a casa. El cenador pretextó una reunión urgente con algún simio de la cámara. Pixie tenía que reportarse inmediatamente al multiplex.

Primo Perfecto argumentó que se iba a reunir con unos amigos del Tecnológico justo en el Wings del aeropuerto.

Sí, lo que tú digas. Gran cagada.

Mi última opción era Esposo Chistoso.

Con una mueca nauseabunda, me sentenció a diez minutos. Si no estaba listo para entonces tendría que partir porque su esposa se estaba *muriendo*.

¿Por qué tan poco tiempo?, pregunté.

"Asuntos familiares."

Sí, lo que tú digas. Gran cagada.

Para mi xodida suerte, me tocó el semáforo en rojo, y revisaron mis cosas. La hicieron de pedo por la cantidad fayuquesca de videojuegos que cargaba conmigo. Luego, el agente aduanal me llamó "chancletudo". No me molesté en decirle que mis sandalias Nike habían costado doscientos diecinueve dólares más tax. Le di dinero y me dejó ir.

Es curioso, pero me sentía decepcionado de que Midyet no me hubiera recogido en el aeropuerto. Tomé un rickshaw. Al entrar al departamento, la encontré frente a la laptop, con un montón de papeles en un lado y restos de cartoncillos de comida china y latas de refresco apachurradas en el otro.

Así fue como conocí a Hank.

Primero pensé "¡puta maldita! ¿Cómo has podido hacerme esto?", pero finalmente me tranquilicé.

"Hola, ya llegué."

"Su, mo te oi cyabfo entradyw."

¿Perdón?

Eso fue lo que escuché. Creo que ni con doscientos cincuenta megas de MP3 al día sufro problemas auditivos, así es que pregunté, muy cordialmente, "¿perdón?"

"Dije sí, no te oí cuando entraste."

Ah, ya veo.

Midyet tomó su Palm y se puso de pie. Me miró de soslayo.

"¿Qué pasó con tu anillo?", me interrogó. No me preguntó sobre el vuelo, ni el cenador, ni su hermana o sus primos.

No. Quería saber en dónde estaba el xodido anillo de mierda.

En mi mente se dibujó un blancuzco escusado fabricado en Talahasee, Florida, con forma de orejas de Mickey.

"Se perdió", dije, secamente, y acomodé la maleta en la silla que está junto al fido. "¿Hay cerveza?"

Entonces arqueó las cejas y me vio meterme en la cocina a paso veloz. Pensé, al abrir el fridge, que había algo extraño en ella. No estoy repitiendo esto porque lo haya pensado dos veces, simplemente lo estoy repitiendo. Ustedes entienden.

Cerveza. Mickey's. Más mierda gringa. Y en mi fridge.

"Fridge" se pronuncia "fridje". Pongan el acento prosódico en la i.

"¿Qué tienes?"

Eso fue lo segundo que preguntó Midyet.

"¿Estás muy raro, no te parece?"

Eso fue lo tercero que dijo Midyet. Y yo sabía lo que tenía.

Me llamaba la atención que Hank hubiera entrado en nuestras vidas.

En eso, escuché una nariz.

Snif snif. Esa onomatopeya se anexó al lenguaje gracias al desarrollo del cómic en el siglo veinte. Luego se integró a la lengua española. Snif. Es una de tantas cosas que le debemos a Stan Lee. Snif. Snif.

Eso era un perro.

Esa nariz, snif snif, era de un perro.

"¿Y esto?"

Un perro salió de mi recámara. Un bloodhound. Corrí hacia allá. El cabroncito había estado echado encima de la cama. El tapete, posiblemente, orinado.

"Es un perro."

Un perro devastaba el cuarto que con tanto ahínco y paciencia había decorado con la ayuda del troyano de American Express.

"Sí, me doy cuenta", apreté con fuerza el envase de vidrio de la Mickey's. "¿Y qué hace aquí?"

"Lo compré."

"¿Por qué?"

"Para que me hiciera compañía."

Ah, puta. Como si con Hank no te bastara. ¡Zoofilia! ¡Bestialismo!

"¿Y quién lo va a cuidar?"

Ése era el botón que tenía que apretar. Midyet se dio media vuelta y regresó con Hank. "Yo, no te preocupes."

"¿Estás segura?"

"Sí sí, ya deja de chingar."

"¿Y quién va a limpiar?"

"El robot, hombre, ya deja de xoder, vete a dormir."

"¡Tuve un buen vuelo, en caso de que te lo preguntaras!"

Así fue como conocí a Pifas.

SIETE

Yo me quejaba de que mi vida personal se había acabado. Yo me quejaba de que los largos domingos vacíos ahora eran los largos domingos llenos de mierda.

Gracias a Hank, todo eso cambió.

Un buen día, martes o miércoles, lo que sea, desperté y me di cuenta de que algo estaba pasando. Algo no necesariamente maligno (nada podía ser más malo que Midyet) pero que nos comía poco a poco, como si se tomara su tiempo.

Ya saben, esa vieja sensación de que algo apesta. Algo fishy. El viejo y estarrio frik.

Caminé al baño, y un nido de tampones usados copaba el cesto de basura. El dentífrico estaba destapado y como eyaculado. Alguien había orinado en la noche y no le había jalado a la cadena.

Y no había sido yo.

Me lavé los dientes. Las cerdas tenían pelos enredados. Parecían púbicos. A mí me salieron los pelos púbicos a los once años. Ahora tengo veintisiete. Hagan las cuentas y verán que son ya dieciséis años viviendo con mis pelos púbicos. Mis propios y privados pelos púbicos. Definitivamente sé reconocer un pelo púbico cuando me lo ponen enfrente. Y más cuando me lo saco de entre los dientes. De mis propios y privados dientes.

Sí, Midyet era una cerda. Vomiten, si quieren. Y también pueden burlarse, no me importa.

Salí en busca de café o jugo (o leche), y observé que las coincidencias continuaban: el fregadero estaba lleno de trastes sucios, el fridge apestaba a frijoles podridos, una espesa capa de polvo cubría los electrodomésticos y los muebles, el comedor se encontraba tapado por laptops y papeles y fólders y plumas y ceniceros sucios, y en el patio rebozaban tres olorosas bolsas de basura negras tamaño "jumbo".

Y sí, un inmenso pastel de Pifas coronaba el futón japonés que compré por Internet y en el que solía ver el fido durante aquellos hermosos y añorados largos domingos vacíos.

"¿Ys tajsc ka Piffs?", preguntó la Puerca desde el cuarto.

Un poco adormecido, y aún sin una bebida en mis manos, ladré un "¿qué?"

"¿Que si ya sacaste a Pifas?" Ah, ya. Respondí a gritos no no, ya voy ya voy.

En ese instante comprendí lo que estaba sucediendo. Nosotros teníamos un robot. Bueno, *yo* tenía un robot.

Flashback:

"¿Y quién va a limpiar?"

"El robot, hombre, deja de xoder. Vete a dormir."

¡Ajá! Fin del flashback.

Caminé hacia el cuarto. Midyet no estaba en la cama. La luz del baño: encendida.

Ahí debía estar. Cuando hay una cama destendida y la luz del baño que se escabulle por la puerta emparejada la ilumina tenuemente, significa que esa persona que buscas ya no se encuentra en la cama, sino en el baño.

Rodeé las cobijas embarradas en la alfombra y abrí la entreabierta puerta. La Cerda Pigmea se hacía algo en las cejas con unas pinzas de dudosa manufactura.

Oye... ¿no teníamos un robot?

"Sp, greniabod u frobtt."

Tomé eso último como un sí.

¿Y en dónde está? ¿Por qué no saca él a Pifas? ¿Por qué no arregla este chiquero de casa?

"Pqkle stf drescóbpstoj."

¿Qué?

"Porque está descompuesto."

Eso es lo que llaman kipple.

"Nk l sre."

Okey, digamos que dijiste no lo sé. ¿Por qué no lo has llevado a reparar?

"??Prqt ty nóP¿"

(...)

¿Perdón?

"¿Por qué no tú?"

Porque tengo mucho trabajo.

"Yt tvcfém."

No te escuché.

"¡Que yo también!" Midyet dejó sus manoseadas a un lado. "¿Estás sordo o qué?"

Y... no. ¿Qué vamos a hacer?

"JHkdfsjkñç."

A la verga con esto. A la reverga. Yo no voy a pasear a ese pinche perro sólo porque tú no tienes tiempo de arreglar al robot.

"¿Gkhkllñ?"

Bueno, terminé sacando a Pifas. No me molestó porque yo siempre lo hacía. Pifas y yo teníamos una buena relación. Nos identificábamos. Manteníamos actividades en común. Los dos le olíamos la cola a Midyet, por ejemplo.

Pifas es buena onda. Es un perro. Es imposible ser mala onda cuando eres perro. "*Dogs have personality*", dice Jules en *Pulp Fiction*. "*Personality goes a long way.*" Amén. Pifas me escucha. Pifas es como Naomi. No dice una xodida palabra, pero qué bueno es para escuchar. Y más cuando le das un esnack Purina de tuétano con tocino. A Pifas, claro. A Naomi alguien más le debe dar su tuétano con tocino.

En esa ocasión, caminando al lado del buen Pifas con mis Boks de suela extragruesa en la típica nieve saltillense de febrero, pensé en el kipple. Bien: Midyet no hacía un mínimo esfuerzo por cuidar el nidito de amor que yo había forjado con arduo trabajo (y que con semejantes huevotes ella se había apañado); teníamos un robot; descompuesto, sí, pero podía arreglarse. Para eso hay centros autorizados de reparación. Para eso hay teléfonos cerounoochocientos de atención al cliente. Detalles, puros detalles para los que existen soluciones.

Ajá, acá voy de nuevo, el sexista de mierda: si la ptitsa no hace nada, todo vale verga. Aunque el robot sirva. Aunque tengas un pelotón de citripios ayudándote.

Pero el problema era más profundo. El kipple nos había pillado. El kipple es el último principio del universo. Todo es kippleable. Todo tiende al caos y, después, a la destrucción. Sacude la pantalla de tu fido de treinta y seis pulgadas y cuarenta y ocho horas después estará de nuevo cubierta por polvo. Recoge la hoja caída del árbol y en ese momento caerá otra. Arregla tu archivero y al otro día hallarás nuevos horrores que desconocías. Mete un formulario para la H. Tarjeta de Cliente Frecuente de Target y no te darán una xodida respuesta en veinticuatro horas. El kipple no respeta que tus credenciales sean impecables.

Sin embargo, pensando en términos de mi relación con Midyet, la idea me agradaba. El kipple dictaba que algún día no estaríamos juntos. A lo mejor nos daríamos de balazos y todos los vecinos escucharían. Posiblemente, de una forma más discreta, nos diríamos adiós fue un placer hacer negocios contigo vete a la verga y no vuelvas nunca más.

Eso es lo que yo llamo una despedida amigable.

El punto es: todos y todos, incluyendo a Midyet, estamos destinados a ser capturados por el kipple. Lo que me daba el viejo y estarrio frik era que nos pasara tan pronto.

Estaba a punto de cumplir veintisiete años. Steven Spielberg, se los he dicho hasta la saciedad, filmó *Jaws* a los veintisiete años. Aquello quería decir que no podía acercarme a esa edad mágica con pedos atorados. Y ustedes saben lo feo que es tener un pedo atorado, por ejemplo, en plena misa, y no poder ventilarse a gusto.

Pero los pedos continuaron. Y alguien o algo me puso un corcho en el ano. ¡Dolor! Todo comenzó a salir mal. Cuando tienes un desmadre en casa, normalmente el resto de tu vida se hace un chimichurri de cagada. Eso de chimichurri se lo aprendí a Putrefoy. Fumábamos en el Ágora del Cáncer, y después de discutir por qué en el beisbol se representa al ponche con una K, el buen gusano de Putrefoy sacó a colación a su esposa y sus hijos. Me contó que "el chiquito" estaba pasando por una etapa difícil. Se orinaba en la escuela. En el pupitre. La miss lo regañaba. Y entonces, Putrefoy dijo que su lepe atravesaba por una etapa en la que las cosas eran "un chimichurri emocional". Resulta que al chimichurri le echan de todo. Es como una mezcolanza. Es como el gravy del cono sur. No que Putrefoy sea argentino o uruguayo o alguna cagada de ésas. El imbécil nació en Torreón, Coahuila, pero aparentemente le encanta la mierda gaucha. Si le pidieran que le mamara la verga a Maradona lo haría con gusto. El muy panbolero.

Bien: mi vida, como la del meón hijo de Putrefoy, era un chimichurri (y ya que la chingadera es argentina no puede ser nada buena, ustedes saben). Como sea, Putrefoy me dejó muy claro que su lepe tenía todo el apoyo de la familia. Eso no quiere decir que le solaparan sus *golden showers* en plena clase de geografía. Simplemente, que estaban con él en las buenas y en las malas.

El apoyo es importante.

Ahora piensen en mí, un veco que odia a su esposa y a su empleo. Un veco que, alarmantemente, asiste cada vez más seguido a trabajar (ir diario a la oficina es como una abominación). Y con una xodida reuma que le da en épocas de frío por el clavo de titanio imaginario que le clavaron en la pierna. Y sin apoyo. Solo. Solo contra el mundo.

Todo un chimichurri kipplesco.

Una noche, Midyet y yo fuimos a visitar a Pixie, quien hacía guardia en el cinematógrafo. De salida, pasamos al Burger King del *fast food court*. Pedí, como siempre, un combo número uno: Whopper con queso, papas y Sprite Light en vaso grande con hielos (muy importante). Bueh, el veco de la caja, uno de esos anteojudos estudiantillos de *high school* que tienen que dar dinero en su casa y por eso agarran un mcjob de mierda, se estaba peleando con la registradora. Me asomé, discretamente, y observé que, curiosamente, la máquina era una PAR, marca que siempre ha tenido problemas para operar en red, y más si ésta le fue instalada por Novell. Y con sólo ver los regalos de mierda que daban en la Caja Feliz que no se llama Caja Feliz pero que por una infeliz coincidencia de marketing se le conoce como Caja Feliz aunque estés en Burger King, Wendy's o Tom Boy, pude adivinar que seguramente el proveedor de "soluciones informáticas de redes" era Novell. Vale verga, pensé. Y mi recibo no salía.

Pegado en la pared había un letrero embarrado de salsa catsup Heinz. Leí:

> Estimado cliente: en el remoto caso de que no le sea entregado su recibo, notifíquelo al gerente y su orden será total y absolutamente gratis.

Eso de "total y absolutamente" me recordó los mediocres eslogans de los comemierdas de Rock 101. De hecho, tuve tiempo suficiente para recordar otras podridas estaciones de radio desaparecidas porque el recibo no salía.

Atrás de mí había una larga cola de parroquianos impacientes.

Olvídense de la mamada que dije de la red. El puto rollo de papel estaba atascado. Eso era todo. La gerente, una tipa jetona con un moño de árbol de Navidad en el cuello, llegó al rescate.

Plip plop. Plap plip. Listo.

"Son ocho noventa y nueve."

Estiré un billete.

"Recibo cincuenta dólares."

Ya lo sé, pendejo. ¿Qué crees que no sé lo que te doy?

"Su cambio."

Al caminar al área de entrega, miré mi recibo. Número ciento cuarenta y uno.

Miré de soslayo al cuatrojos. Algo hizo el gran estúpido que la pobre ptitsa que había estado detrás de mí ahora sufría el mismo problema del papel atascado.

Me recliné sobre el mostrador. Observé el recibo. Ociosamente, comencé a redactar algo en él con la uña del dedo gordo. Ya saben, esos papeles fotosensibles de fax. Con mi asquerosa letra, escribí, pensando en el cajerete ciego:

PENDEJO

Sonriente, escuché mi número. Viendo un cartel promocional que decía *Por favor ya compren Fish King*, estiré el papelillo.

Entonces escuché el gruñido.

"¿Tiene algún problema, señor?"

Te das cuenta de que has dejado de ser adolescoiteante cuando la gente te llama "señor".

"Que si tiene algún problema, señor."

¿Un problema? No, ninguno.

"¿Entonces?"

¿Entonces qué? ¿Qué le pasa a este güey?, le pregunté a Midyet, quien se alzó de hombros y refunfuñó un "Gljkfjksf".

Olvídalo, le dije y me dirigí al clerquillo: dame mi comida y vete a hacer más hamburguesas, buscapleitos.

Uh.

Evidentemente, no me había fijado en el tamaño del veco. Para estudiar en el *high school* y ganar uno cincuenta a la hora, no estaba nada ñango. Su puño era macizo, también. Caí de nalgas y él, supongo, aprovechó mi desventaja para brincar de un lado a otro del mostrador y pararse junto a mí. Bueh, me habrá pateado unas seis veces. No las conté.

Cuando me tiró el fatídico recibo en la cara, lo observé mejor. No al recibo, sino a mi atacante, claro. Con él de pie, y yo en el piso, la cosa se veía mal. Un poco imponente. Con ese tórax el veco podría conseguir una beca como linebacker de la U. Bayona.

"Ve a decirle pendejo a tu puta madre."

¿Pendejo o pendeja?

El labio superior me palpitaba. Sangraba un poco. Caminé, con Midyet detrás, hasta el baño. Después de asearme, nos enfilamos al auto. De regreso en casa, Midyet aplaudió la actitud del hamburguesero, y me pegó una santa cagotiza por irracional, salvaje e irrespetuoso. Le pregunté por mi Cajita Feliz que no es Cajita Feliz y ella sólo atinó a soltar un graznido incomprensible.

Evidentemente, no se había molestado en tomarla.

En la oficina normalmente tengo la razón. Eso es porque, extrañamente, mi jefe piensa que soy un "garbanzo de a libra" (vómito). Puedo decir "señor, el día de hoy, por el bien de la compañía, vamos a tortearnos a su esposa. Todos los empleados de este edificio tendrán la oportunidad de darle una sobada a ese precioso culo que tiene su mujer". Y él responderá: "Sin duda es una excelente idea. La aplicaremos para el programa de incentivos." Así de asno es, ya ven.

En mi matrimonio, en cambio, la cosa es muy diferente. Ahí siempre juego el papel de El Gran Idiota Que Se Equivoca. En términos shakespeareanos soy Touchstone o el borrachín que engañan al principio de *La fierecilla domada*. ¿Saben? Es tremendo no tener la razón en nueve de cada diez ocasiones, pero lo peor es no tenerla con la persona que te casaste.

No, corrijo: lo peor es tener expectativas de alguien. Ya ven, con todo y todo, yo tenía mis esperanzas con Midyet.

Más vómito.

En fin, el episodio del Burger King era sólo una muestra de lo que estaba sucediendo, en vivo y directo, frente a mis ojos. La ilógica cuerda (Midyet) de la que les paroleaba en la pendeja analogía que no sirve de nada, poco a poco comenzaba a zafarse. Primero se me había ido el barco (Pixie), y ahora, la cuerda (Midyet) me soltaba. Y yo me iba a quedar solo, y ni siquiera con esos lindos flotadores de brazos que los lepes usan en la piscina, a la deriva en el océano (la incertidumbre, el vacío, el abismo).

(Definición de inepto: aquel que tiene que explicar las cosas entre paréntesis.)

Hank, claro, Hank tenía la culpa. Si teníamos que culpar a alguien, ése era Hank.

¿Sólo a él?

No. El kipple también se lleva parte del crédito. El kipple metió un veco en mi departamento. Gracias al kipple un veco que no conozco durmió toda la noche en mi casa. El kipple procuró que Pifas se quedara calladito, dormidito en su *puff* con forma de huesín, y no soltara un "arf" para avisarnos que un extraño estaba adentro.

Esa mañana, desperté con aliento de Bulldog enfermo del estómago y pelos sebosos del gel del día anterior. Repetí mi matinal rutina: caminar al baño, hallar un nido de tampones con una nube de moscas oportunistas encima, el dentífrico eyaculado, el escusado y su nata de orines, pendejos en las cerdas de mi cepillo de dientes, enfilarme a la cocina, encontrar el fregadero repleto de trastes sucios, el fridge apestando a jamón enlamado, el comedor tapado por laptops y papeles y fólders y plumas y ceniceros sucios, bolsas de basura negras tamaño "jumbo" en el patio...

Tomé, saltando los pequeños duendes borrachos y las minúsculas duendas prostitutas que vivían junto al fridge y que no sólo hacían ahí un gran negocio sino que eran las personitas imaginarias a las que les echaba la culpa de que la comida se echara a perder, un tetrabrik de jugo de naranja de la Florida. Cautelosamente, lo probé. Para mi fortuna, sabía bien. Caminé hacia la sala.

"Ah, cabrón."

¿Alguna vez han estado en una situación en la que se ven forzados a exclamar "ah, cabrón"?

Groove is in the heart.

Esa mañana me había encontrado con un detalle que rompía la secuencia: el tradicional pastel pifesco no reposaba en mi futón japonés. En su lugar, yacía un cheloveco andrajoso con los pelos tiesos. Y no precisamente por el gel de una noche anterior.

Ah, cabrón.

Con sigilo, me acerqué. El veco dormía. No: el veco roncaba. El veco estaba perdido en los brazos de Morfeo. Un veco que jamás había visto descansaba plácidamente en mi futón japonés manchado para siempre por las cacas de Pifas. Creo que es una canallada despertar a alguien que duerme tan sabrosamente, así que, antes de sacudirlo y preguntarle qué xodidos hacía en mi futón japonés, caminé, de puntillas, a la recámara (no fuera a ahuyentarle el sueño a Su Majestad). Midyet sabría qué estaba pasando.

La cama estaba destendida. La luz del baño se asomaba por la puerta emparejada. No tengo que volver a explicarles qué quiere decir eso.

"Midyet."

"??whuú¿"

Eso significa "¿qué?"

"Hay un cabrón dormido en mi futón."

A Midyet le molestaba que le recordara que mi futón no era cualquier futón, sino un futón japonés. De ahí que haya omitido el detalle nipón.

"??whuú¿"

La madera es exquisita, por cierto. *Tora! Tora! Tora!*

"Que hay un cabrón dormido en mi futón."

"Nm téz jlklkdyendu."

Eso quiere decir "no estés xodiendo".

Le di un largo trago a mi tetrabrik con jugo de naranja de la Florida. Imaginé que era un Martini, y que yo era James Bond, de esmoquin, jugándome la vida (y unas cuantas libras esterlinas) en la ruleta.

Regresé a la sala. El cheloveco continuaba, en la misma posición, dormido en mi futón japonés. Súbitamente, comencé a entender aquello. Yo no lo conocía. Eso no era muy difícil, pues prácticamente carecía de amigos, al menos en el área Saltillo-Ramos Arizpe. Y si yo vivía en aquel departamento arrendado por mí según un incomprensible contrato privado, y estaba casado, significaba que sólo mi esposa y yo podíamos dormir ahí. Bueno, y Pifas. Y cualquier otro veco a quien yo invitara a pasar la noche, claro.

Pero yo no conocía a ese cabrón. Ergo, no lo había invitado. Dicen que los vampiros no entran a tu casa si tú no los invitas.

Mmm... aquello era una felonía. "Allanamiento de morada", diría más tarde por teléfono el xodido abogángster de la oficina del Ciudadano Procurador.

Un poco más aterrado, regresé a la recámara. Midyet se depilaba las piernas. Lo sé porque las máquinas Braun hacen un trrr trrr muy peculiar cuando rebanan pelos.

Groove is in the Heart.

"Midyet."

"??whuú¿"

Me paré junto a la puerta del baño. Con suficientes fuerzas, grité:

"¡Hay un cabrón dormido en el futón!"

"??whuú¿"

"¡Que te vistas cabrona!"

Off. On significa encendido, y *off* apagado.

La maquinilla Braun quedó colgando del lavabo. Midyet corrió a la sala. Tres segundos después, volvió, aterrorizada.

Sonreí.

¿No es encantador ver a tu enemigo cagarse de miedo?

Acto seguido, discutimos sobre la situación:

"KJ?hllhjA!!!"

"¡Yo qué xodidos voy a saber!"

"bK Hpfgdsa?¿?"

"¡No lo sé! ¡No lo he visto!"

"JGJMGtdsfff?"

"¡Seguro!"

"PophkjhGGFR?"

"¡Ve tú!"

"CJKI!!!!!"

"¡Yo no voy a exponerme sólo para ver si el puto perro está vivo!"

Como si le zumbaran los oídos, Pifas entró, con su cara de bobo, en la habitación.

"Ahí está", lo señalé. "Vivito y coleando. ¿Más tranquila?"

"???Jhjghfxcvrt?"

"¡No sé!"

"K?JHk,jh.jlhj!!!"

"Mira, es tu perro. ¡Regáñalo tú!"

"Vvbbnn¡¡nbj!!"

"¿Ahora resulta que es *mi* perro? Esto es increíble."

Brinqué sobre la cama y cerré la puerta de un sopetazo. Busqué el teléfono, pero no lo hallaba por ningún lado. Xodidos teléfonos inalámbricos, siempre jugando a las escondidillas. Afortunadamente, en mi buró estaba el móvil. Midyet me gritaba algo en su peculiar dialecto. Marqué *911.

"Asterisconovecientosonce, ¿en qué podemos ayudarle?"

Buenos días. Hay un veco dormido en mi sala. Quiero que vengan a sacarlo de aquí.

"¿Alguien que no conoce?"

Si lo conociera no les pediría que lo sacaran.

"¿Está seguro de que no es un familiar suyo?"

¡Dios! ¡Dios!

"Muchas veces nos piden que saquemos de una casa a familiares indeseables, ya sabe, esposos golpeadores, algún hijo que llegó tarde y ebrio y que hizo enfadar a sus padres porque tomó el auto sin permiso. Suele pasar que sus apás quieren darle una lección."

Oh, ya veo.

"Es algo delicado."

"Un segundo, por favor."

Volteé a ver a Midyet, que no detenía la lengua.

"¿Qué quieres Engendro, Abominación, Monstruosidad?"

"B¿KHHljlll!!!"

¿Ahora mismo?

"fdfdííí!!#"

"No cuelgue."

Rápidamente, me puse de cuclillas frente a Pifas:

"Estamos muy enojados contigo. ¿Por qué no hiciste nada? ¿Por qué dejaste que un veco desconocido entrara en la casa?"

Pifas hizo un grunf y se echó junto a la cama, soltando un suspiro.

"¿Contenta?"

Regresé a la llamada.

"Por ley, no podemos entrometernos en asuntos domésticos."

Sí sí, ajá.

"Bien, un veco desconocido amaneció durmiendo en su sala."

"En mi futón japonés."

"En su sillón tailandés."

Mierda.

"¿Cuál es su dirección?"

General Cepeda bla bla bla. Vengan. Apúrense. No soporto a la puta maldita de mi mujer gritándome al oído.

"Gracias por hablar a Asterisconovecientosonce. Me permito recordarle que la falsa alarma se castiga con una pena de quinientos salarios mínimos."

Clic.

Ni un ruido.

Midyet no estaba a la vista. La puerta del baño, cerrada. Ahí debe haberse metido, pensé. Miré a Pifas. Se le cerraban los ojos. A dormir. Ah. El buen Pifas. Quién fuera él. Una noche antes, Midyet me había ordenado que saliera a comprarle comida a Pifas. Ella estaba muy ocupada mamándole la verga a Hank, así es que no se dio cuenta de que llamé a Pixie para que me acompañara al supermercado. Pixie dijo sí. Mod no estaba con ella.

"¿Y Mod?"

"No sé."

Ese Mod era un tipo raro. Fantasmal. A veces estaba y a veces no. Piensen en Mod como en Keyser Zose. Buuu. Mod es un veco extraño. Buuu. Keyser Zose.

"Voy por ti."

"Sí."

Ir al súper a medianoche es maravilloso. No hay colas, no hay cerillos molestos, no hay gordas babuchkas empujándose por tomar los mejores aguacates. Y puedes ver a las cajeras repintándose los labios y arreglándose el cabello, y a los jefes de departamento acomodándose el cinturón y despegándose la pinga loca del muslo.

Si eres jefe de departamento a la una de la mañana puedes cogerte a una cajera pelopintado bocacarnosa pezonespeludos encima del mueble de las mandarinas y nadie se daría cuenta. O cogerte una papaya. O un jitomate. O meterte un pepino por la cola. A veces las frutas y las verduras funcionan mejor que los seres humanos. Y no sólo en cuestiones sexuales. Traten de conversar con una zanahoria y verán que es más gratificante que hacerlo, por decir algo, con tía Auntie.

Yo conocí a un panadero de Wal-Mart que realmente les hacía el hoyo a las donas con su verga parada. No tengo que decirles de qué era el glaseado.

Anyway, ahí estaba yo, de madrugada, caminando por los pasillos del supermercado, acompañado de Pixie, la hermosa Pixie sosteniendo una lata de mejillones con sus manos de princesa, sus nalgas perfectas recargadas en el carrito, su boca de pecado mordiendo la croqueta de atún que un trasnochado promotor en el departamento de congelados le ofrecía.

Yo amaba a Pixie. Yo amo a Pixie.

Llegamos hasta el frigorífico en el que guardaban la comida que comía Pifas. No entendía por qué no le dábamos croquetas o alguna mierda industrial de esas que nutren al perro y permiten que tire cacas duras y poco olorosas (¡y lo ilusionan con sus divertidas formas de huesito, pescadito o patita de pollo!). No. A Midyet le gustaba darle comida Supercan.

Sí, todavía existe la carne congelada Supercan. Y el *gimmick* de la marca es Reina, la de *La dama y el vagabundo*.

(En la compañía hay un manual de doscientas setenta páginas con procedimientos en caso de plagio corporativo.)

Una noche antes compraba, románticamente, cinco kilos de carne Supercan con Pixie.

Unas horas después, había un veco desconocido dormido en mi futón japonés.

Lentamente, salí del cuarto. Estiré el pescuezo. Ahí seguía. No roncaba ya, pero definitivamente continuaba en su lugar. En posición fetal, el muy chulo.

¿Qué hacer?

Necesitaba un arma. Pronto.

Recordé que en el clóset de visitas guardaba un juego de palos de golf marca Ping. Me los había regalado mi jefe en un intercambio navideño. No juego golf; de hecho, no juego nada. Pero eso no le importa a mi jefe. El hijo de perra se jacta de conocer a fondo a todos y cada uno y de sus vasallos. Sí, claro.

En esa ocasión, me entregó el pesado paquete frente a la mitad de los empleados de nuestro piso.

"Tenemos una jugada pendiente", dijo con una sonrisa mongólica al darme una palmada en la espalda. "Habremos de apartar un sábado con nuestras esposas."

Jo jo jo.

Devolví la sonrisa y le dije que era el mejor regalo que me habían hecho en años. El asno fingió sonrojarse y me ofreció la mano.

"Siento despedirme, pero tengo una reunión urgente", graznó. "Por favor salúdame y felicítame a tu mujer. *¿Mildred,* verdad?"

Sí, Mildred.

"A lo mejor un día de éstos pueden acompañarnos a desayunar al Country. A Gertrude le encantaría conocer a Mildred."

Por supuesto, licenciado. ¡Después de nuestra jugada pendiente!

"¡Tú y yo hablamos el mismo idioma!"

¡Sin duda, licenciado! ¡Somos un par de cabrones! ¡Somos Paul Newman y Tom Cruise en *El color del dinero*!

Pendejo.

Tomé un fierro con un siete inscrito en él. Parecía macizo. Aluciné que el bulto en el futón era mi jefe. Imaginé el duro metal clavándose en su cabeza, un poco arriba de la oreja izquierda. Otro golpe, éste en un pómulo. Imaginé el rostro de sorpresa del viejo estúpido, preguntándome: "¿Por qué? ¿Por qué a mí, que te he dado todo mi apoyo?"

Luego visualicé a mi jefe, cubierto en sangre y con la cabeza del fierro siete, sólo la cabeza, encajada en la sien, bebiendo café y recibiendo, con una de sus sonrisas de subnormal, un plato de frutas. Me formé una pintura mental de Gertrude con su mamón collar de perlas y sus lentes de vista cansada, mostrándole un artículo de *Cosmopolitan* a Midyet, quien traía anteojos oscuros con armazón de carey y una blusita de Polo Sport.

"¡Mildred, querida, el carey combina tan bien con tus lindos ojos almendrados!"

Y yo, con bucket hat y una playera de Chemise Lacoste, y a un lado de mi desayuno un guante de piel de cabra, una Palm y, perfectamente dobladito, el *Wall Street Journal.* Felicitaba al robot-mesero disfrazado de frac con un "éstos son, sin duda, los mejores huevos rancheros que he probado en años".

La sangre que manaba de la herida de mi jefe caía plop plop sobre su kiwi, sobre su papaya, sobre su sandía, sobre las finas rebanadas de tuna que coronaban su plato.

Plop plop.

El crimen no paga. Envilece.

Me paré junto al bello durmiente. Me dio envidia su sueño de bendito. Me dio envidia su entereza, su pulcritud moral. Me dio envidia que, con unos huevos gigantescos, mandara todo al caraxo y se metiera en un departamento que no era suyo para dormir.

Sólo para dormir.

¿Por qué no puedo ser como tú?, pensé. ¿Por qué no puedo meterme en casa de mi jefe y, con esos mismos huevos, darle una patada en el culo y dormirme en su futón japonés? ¿Por qué no puedo matar a golpes a Midyet y rebanarla como sushi y meterla en una bolsa tamaño "jumbo" y darle diez dólares extra al de la basura para que se la lleve a casa de la mierda? ¿Por qué no puedo dejar mi trabajo y llamarle a Marpis y decirle lo xodida que es y a Alo cuánto lo envidio y a Karen Difusa lo rica que está y a padre y madre cuánto los detesto?

¿Por qué no tomas el departamento? Anda, quédatelo. ¿Por qué no apañas mi empleo y te vas a firmar cheques y proyectar presupuestos y coordinar telejuntas y tener comidas eternas con clientes y proveedores? ¿Por qué no te quedas con mi esposa y su perro cagón? ¿Por qué no pasas al baño, te aseas, te pones mis trajes Ermenegildo Zegna y mis lociones CK y mi reloj Tag Heuer y le echas en la jeta al portero del Melrose Place y a los guardias del estacionamiento de la empresa las llaves de mi auto importado y me dejas dormir en mi futón japonés y le decimos a la policía que soy un albañil de una construcción de por aquí que bebió demasiado pulque y que me metan al bote y después de dos años me dejen salir, cogido y peludo, pero sin ninguna obligación con nada y ante nadie?

Plop plop.

Un comando de doce agentes de la oficina del Ciudadano Procurador entró en el departamento. El que iba hasta adelante impactó su macana de policarbonato en la cabeza del dormido, quien se agitó violentamente y comenzó a aullar "uuuuuuuuu" y "uuuuuuuuu", y el segundo y el tercero lo patearon en los costados y lo arrastraron por la estancia y el veco hacía "uuuuuu-uuuu" y otro le enterró objetos punzantes en los oídos y los orificios de la nariz y los ojos y la boca y le preguntaba "¿quién te mandó?, ¿quién te mandó?" y "uuuuuuuuuu" y sólo podía escuchar los huesos del veco quebrándose al chocar con las escaleras y el pasamanos del edificio.

Un agente que, aparentemente, era el líder, se presentó ante mí con un *display* de cristal líquido como los que cargan los mensajeros de FedEx. Vestía pesadas botas y chaleco antibalas a la última moda policiaca. Bajo el brazo cargaba un rifle automático que se veía vulgarmente real.

Me llamó por mi nombre.

"Sí, soy yo."

Extendió un lapicillo de plástico con la punta achatada.

"Firme en la pantalla y no tendrá que hacer más trámites. Todo queda en nuestras manos."

"¿En serio? Qué eficiencia."

"El contribuyente manda."

Firmé.

"En un rato le hablará un abogado del precinto. Usted sabe, para confirmar sus datos. Gracias por utilizar Asterisconovecientosonce."

Marcialmente, dio media vuelta y salió del departamento, cerrando delicadamente la puerta detras de sí.

El kipple nos rige.

"Allanamiento de morada", diría más tarde por teléfono el xodido abogángster de la oficina del Ciudadano Procurador.

El kipple comanda nuestras vidas.

"*Llamo para confirmar que no tiene ningún vínculo con el delincuente.*"

Ninguno.

"*¿Está seguro?*"

El kipple es mi amo y señor.

Así debería de ser. Así es.

"*¿Nada de nada?*"

Nop.

Abrazar al kipple. Dejarse ir. Dejarse llevar.

Si soy vicepresidente antes de los treinta, voy a incluir la palabra "kipple" en la misión de principios de la empresa.

Un buen día, jueves, según parece, de mi boca volvió a surgir el estúpido pretexto que solía decirle a Jackie, mi asistente, cuando me iba a ver a Pixie al cinematógrafo:

"Si alguien me busca, dile que estoy en el archivo del tercer piso."

Eso son ciento once pisos abajo de mi oficina de muebles importados.

Salí del edificio. Casi había olvidado cómo se veía la calle de día. El clima, para ser Ramos, era bastante benigno. Casi un *sunny day*.

Casi.

Detuve un rickshaw.

Al multiplex. Rápido.

Pixie estaba trabajando, as usual. Pero mi intención no era molestarla. Dejarla ser, eso es importante. Dejarla ser, con su polo y su gorra y su diadema, detrás de una ventanilla antibalas de ocho pulgadas, extendiendo boletos a los parroquianos.

"Buenas tardes."

"Buenos días."

"Buenas noches. Lo siento, pero esa función está agotada."

¿No suena maravilloso? Sabes que estás enamorado cuando las palabras más insaboras te suenan a gloria. Sabes que estás enamorado cuando te dicen "voy a cagar" y tú escuchas "*my mistress eyes are nothing like the sun*".

Mmm.

Otra noche, visita nocturna al supermercado con Pixie. Nos detuvimos en el departamento de electrónica. Hay que apreciar a una ptitsa que es capaz de soportar a un comprador compulsivo rodeado por aparatos importados y armado con una American

Express. Salí con un reproductor digital de MP3 del tamaño de una barra de mantequilla.

"Por supuesto, tenemos la tecnología para fabricarlo más pequeño", me dijo el promotor de Iomega en esa ocasión. "Estos aparatos se pueden construir, fácilmente, del tamaño de un botón."

¿Y por qué no los hacen así?

El promotor de marras era indio. Indio de la India, no del sureste.

"Nuestros estudios de mercado revelan que el consumidor aprecia mucho tener en las manos un producto de cierto volumen y tamaño. Le hace sentir que su adquisición ha sido valiosa."

Ah, psicología y mercadotecnia. Un hermoso matrimonio, sin duda.

Pixie, con una bellísima sonrisa, me empujó a comprarlo. Psicología, mercadotecnia y Pixie. ¿Qué más podría querer?

Vuelvo al día en el que me salí de la oficina: cargaba, en la bolsa interior del saco, el reproductor digital de MP3 del tamaño de una barra de mantequilla. Los audífonos "ergonómicos" se pegaban a mis orejas. Estaba escuchando algo de Dave Matthews Band. Desde las escaleras eléctricas que te suben al nivel del cinematógrafo podía ver a Pixie endiademada, a Pixie empolada, a Pixie engorrada, repartiendo tickets a diestra y siniestra. Encima de ella, un pixeleado número diecisiete tintileaba en un pequeño monitor horizontal de plasma. Ése era el pixeleado número que definía a Pixie esa mañana.

Dave Matthews Band llenaba mis oídos. Cuando caminas entre chelovecos con tu propio universo de música portátil, en realidad nada importa. El mundo se distorsiona. Yo me veía a mí mismo en cámara lenta, abandonando la escalera eléctrica, con la vista fija en la boletera del módulo diecisiete.

Ahora escuchaba *The New Pollution*. La encantadora boletera del módulo diecisiete, cortos cabellos apenas asomándose por la gorra, tímidos pechos levantando la polo azul marino, comienza a bailar. Su playera de algodón se convierte en una blusa chillona de poliéster. La gorra cae y deja ver unos caprichosos bucles dorados que brillan al calor de un foco rojo.

Ese saxofón. Ese organillo. Los brazos y manos de Pixie se agitan rítmicamente frente a su rostro. Se para encima de la máquina expendedora de boletos. Tiene una minifalda transparente. Puedo ver sus blancos calzones. Nada hay más excitante que ese pequeño bulto que se forma en el pubis de una mujer en calzones.

Big Bang Baby.

Imagino que Pixie salta del módulo número diecisiete y se acerca a mí. El resto del gentío que se aglutina en el lobby del multiplex parece haberse congelado. Allá viene, topless y vistiendo unos jeans desabotonados. Me arranca la camisa y la corbata y restriega sus tetas de nieve de guanábana en mi estómago. Saca mi pene y lo pone en su boca. Me observa desde allá abajo. Nada hay más excitante que una mujer con un rostro de ángel mamándote la verga. Y tú viendo todo.

Tales of the Future.

Una rasposa pero delicada vocalización árabe toma mis oídos. Súbitamente, los helados parroquianos cobran vida. Estoy adentro del multiplex, sí, pero el pulido piso ahora está mojado, y las mesillas del *fast food court* donde los batuchkas beben café se han convertido en puestos ambulantes de fideos, fayuca, fruta, verduras. Hombres y mujeres orientales, casi todos ancianos, me hablan en diferentes lenguas. Llueve. Traigo puesta una gabardina. Pixie se me acerca con largos cabellos rojos que cubre con un paraguas en cuya varilla brilla una luz neón azul. Viste también gabardina, pero de hule transparente. Su hermoso rostro está mojado. ¿Gotas de lluvia? Roza mi mejilla con la mano que no ocupa en la sombrilla.

"Vamos a tener un hijo", me dice. "Te amo por eso y mil cosas más."

Eso fue extraño.

Pixie se pierde en el húmedo tianguis oriental. Así de maravilloso es estar encerrado en tu propio mundillo musical.

Apagué el aparatejo y me detuve frente al módulo diecisiete.

Con una sonrisa (mierda, Pixie siempre sonríe, Pixie es la ptitsa más optimista que existe), la encantadora boletera con cara de muñeca alzó la mano derecha y la agitó en el aire. Eso quería decir que me mandaba un saludo. Imité su movimiento, y con mis torpes garras de Urko le avisé proxémicamente que iba a andar por el lugar.

Caminé al baño y me sentía como si flotara. Meé un buen rato, y justo cuando terminaba entró un ruquillo de suéter abierto y jeans. Lo vi de reojo. Me pregunté si a su edad yo usaría jeans. Me hice pendejo en el lavabo y lo observé lavarse las manos y secárselas. Cuando salió, allá voy yo, el gran metiche, a seguirlo. Afuera, lo esperaba una lepilla no mayor de siete años que corrió a abrazarlo.

"¡Abuelito!"

Sentí pena porque no estaba aquel oportunista con la botarga de Pikachu; no ese día, no entre semana, no en la mañana. Deberían ver cómo se ilumina el rostro de un lepe cuando su personaje favorito del fido se acerca a él para que les tomen una foto juntos: ¡Dios, es Pooh! ¡Dios, es Snoopy! Su vidita de siete años es plena. A los siete años ha conocido la verdadera y genuina felicidad. Pensé que debería dejar mi trabajo y dedicarme a arrancar sonrisas y rostros iluminados de los lepes.

Claro que la lepa no necesitaba a ningún cabrón Mickey Mouse. La lepa tenía a su abuelo, y con eso bastaba. Me pregunté si yo llegaría a esa dorada edad, retirado, paseando a mi nieta en el cinematógrafo, soplándome hediondas películas infantiles dobladas al español, comprándole al hermoso pedazo de sol combos de palomitas chiquitas, comprándole al dientecito de nuez un refresco chiquito, comprándole a la lechuguita verde un chocolate chiquito y combos de microcorrugado con forma de barco pirata, de nave espacial, de montaña rusa de caramelo, de gatito con los bigotes parados.

Eso último me amargó un poco. No la parte de los combos, sino la de pensar que no podría llegar a ser Abuelo Incondicionalmente Amoroso. Antes, podría darme enfisema pulmonar, osteoporosis, cáncer en la vejiga. Podría tener un accidente. Podría arrollarme un autobús de pasajeros de doble piso.

Sintiéndome un poco defraudado de mí mismo, me acerqué al Starbucks del antro en cuestión. Encendí de nuevo el reproductor digital de MP3 del tamaño de una barra de mantequilla. Saqué de su estuche los audífonos "ergonómicos". Busqué en el xodido disquito duro portátil algo para suavizar mi melancolía.

"¿En qué le puedo servir?"

Pedí un capuccino.

Cuando no sepas qué café pedir, pide un capuccino.

"Once dólares con noventa y nueve centavos más tax."

Mientras esperaba el cambio, observé cuidadosamente la humeante taza que tenía frente a mí. Era como esos estúpidos tetrabricks, con ocho o nueve capas de cartón y aluminio y plástico, y un asa de cartoncillo y una tapa y un popote-cuchara de PVC. Y, para colmo, una especie de funda de cartón cubriendo el vasín. Impreso en ella, el siguiente mensaje:

> Cuidado. El contenido de su taza puede estar extremadamente caliente.

Ya con mis siete dólares y pelos en la bolsa, me senté en una mesilla de cedro blanco a meditar sobre el sobado Absurdo Dilema Multimedia. Apagué el reproductor digital de MP3. No lo había considerado, pero también ofrecía envío y lectura de e-mail, conexión a DVD y, lo peor, al minihorno eléctrico. No me pregunten por qué, pero así es: al minihorno eléctrico. A decir verdad, ni siquiera sé si soy dueño o no un xodido horno eléctrico.

De nuevo, me sentí un poco defraudado de mí mismo.

Ese día había un festival de Drew Barrymore. Compré mi pase general porque tenía ganas de puñetearme viendo los cachetes inflados de Drew. El problema es que primero pasaron *E.T.*, y no soy tan perverso. Bueno, quizá sí tuve una erección. Y no precisamente por el extraterrestre. Luego pasaron una mierda en la que La Marrana se coge a Tom Skerrit, y ahí sí me di vuelo eyaculando dos veces. No tuve que quedarme hasta el final. Necesitaba algo de beber. Suele darme hambre después de chaquetearme.

Salí de la sala. Mientras esperaba un hot dog de carne procesada en una planta que está a mil doscientos kilómetros del mol y que fue irradiada irresponsablemente por un ingeniero del Tecnológico, se acercó a mí un vejete. Me saludó y yo por un momento pensé que era el Sr. Burns.

"¿Cómo estás?"

Claro, Mod. ¿Qué haces aquí?

"Ya ves, cuando uno está retirado tiene todo el tiempo del mundo."

¡Por supuesto! ¿Qué cuenta la osteoporosis?

"¿Has visto a Pixie por aquí?"

Sí Mod, se ve que tu corazón ya no aguanta estas pesadas visitas al cinematógrafo.

"¿En la taquilla? Es raro, no la vi ahí."

¿Por qué no te tomas unas vacaciones, digamos, en el panteón?

"¿Crees que haya salido ya?"

No, esos puntos oscuros que aparecen en tus manos son perfectamente normales. Se llaman "manchas de la vejez", aunque hay quienes les llaman "flores del panteón".

"Bueno, si la ves dile que la ando buscando."

¿Gustas comerte conmigo un hot dog de carne procesada en una planta que está a mil doscientos kilómetros del mol y que fue irradiada irresponsablemente por un ingeniero del Tecnológico y que le caerá muy bien a tu decadente organismo diabético con altos niveles de colesterol y ácido úrico?

"Y... está bien", Mod volteó nerviosamente a los lados y luego esbozó una tímida sonrisa. "Gracias, te acepto uno."

Ándale, lo peor sería que te murieras. Pero tu geriatra ya te advirtió de eso.

Junto al carrito de los jochos había unas sillinas de policarbonato que me recordaron la macana del batuchka del Asterisconovecientosonce. Nos sentamos.

"¿Cómo van las cosas con Pixie?", disparé inmisericorde, y el pobre Mod pareció atragantarse.

"Bueno", de nuevo la sonrisita, "le estamos echando ganas".

"Me da gusto oír eso. Pixie es una ptitsa excelente. Creo que te sacaste la lotería, amigo Mod."

"Sin duda, gracias."

"¿Seguro que no quieres un refresco?"

"Y... no, gracias."

¿Cómo te vas a bajar esa mierda por la garganta?

Mod permaneció en silencio unos segundos. Masticó lentamente su bocado, y luego me miró con unos ojos tristes de perro arrugado.

"Sabes, yo sólo quiero lo mejor para Pixie."

"Eso es bueno. ¿Refresco?"

"No, gracias". Tragó. "Pero a veces pienso que no soy la clase de persona que Pixie necesita."

"Tranquilo, Mod. Tú y Pixie se ven muy bien juntos."

"No me mientas, yo sé que no es así."

"¿Lo sabes?"

"Sí, yo sé que no nos vemos bien juntos."

(...)

"¿Refresco?"

"Sé que nos vemos... disparejos."

¿Por qué? ¿Porque ella tiene veinticuatro años y tú eres Matusalén? Estás exagerando un poco, ¿no crees?

"¿Qué te pasa, Mod?", arrugué mi servilleta. "Cómprate algo de ropa... no sé, prueba un nuevo corte de pelo y te quitarás unos años."

"Yo sé que Pixie y tú deberían estar juntos."

"Ah, cabrón."

¿Alguna vez han estado en una situación en la que se ven forzados a exclamar "ah, cabrón"? Yo llevaba dos en menos de una semana.

“¿Lo dices en serio?”

“Por supuesto. A mi edad sé cuando algo va a funcionar y también cuando la rama no se puede enderezar ya.”

Ay ya, mamón de mierda. Me vas a hacer llorar. El hot dog de Mod estaba a la mitad. Y no era porque su dentadura postiza ya no pudiera dar un bocado más, sino porque ese Mod es un dos caras.

Mod es extraño. Fantasmal.

Keyser Soze.

Imaginé que Mod estaba cojo y tenía la cara de Kevin Spacey. Y no estábamos precisamente en la oficina del Comisionado Procurador, ni yo lo interrogaba, pero sí sentía que aquello estaba lejos de concluir.

Como aquel hot dog, ajá.

“Dejémonos de tonterías”, exclamó Mod con una voz cavernosa, “yo sé lo que has estado haciendo con Pixie”.

“¿Yo?”

“Sí, tú.”

“Ah. ¿Qué?”

“Piensan que es fácil engañarme, ¿verdad?”

“¿De qué hablas, amigo Mod?”

“¿Crees que no sé lo que pasa en esas visitas al supermercado?”

El viejo y estarrio frik.

“En esos lugares a la una de la mañana”, prosiguió, “puedes cogerte a quien quieras encima del mueble de las guayabas y nadie se daría cuenta”.

En dónde he escuchado eso.

“Pero era de esperarse”, Mod jugueteó con la ahora obscena salchicha cercenada a la mitad. “Era imposible que esta farsa durara lo suficiente. Yo tengo una maravillosa esposa y unos maravillosos hijos esperándome en una maravillosa casa hipotecada. Ése es mi destino, no andar jugando al adolescente bobo.”

(...)

“¿Entonces no eres divorciado, amigo Mod?”

No sé cuántas veces manoseé mi barbilla y me jalé el labio inferior durante el tiempo que él permaneció en silencio. Me sentía impresionado. Simplemente impresionado.

"No. ¿Quién te dijo eso?"

En realidad, nadie. Pero a veces tengo una peculiar facilidad para inventarme cosas.

El vejete se puso de pie.

"¿A dónde vas, amigo Mod?", le pregunté al carcamal, quien, arrastrando los pies, sostenía la derrotada salchicha mutilada en sus manos.

"No lo sé", dijo con la mirada perdida, "mañana será otro día".

Antes del adóndevasamigomod y el desplante rhettbutleriano, deportivamente me había dado "luz verde" (ji) para hacerle la corte a Pixie. De la misma forma, me pidió que le avisara a ella que finalmente volvería a su aburrida vida marital. Lo más humildemente que pude, me tomé la libertad de preguntarle cómo debía conducirme yo si estaba casado con la hermana de la ptitsa en cuestión, y Mod me dio un excelente consejo que ya olvidé.

Yo sé que esto es un giro estúpido en la historia, pero en realidad es importante, y evidentemente no porque venga de un personaje que sólo aparece dos veces —en su presentación y su despedida—, sino porque esa "luz verde" no sólo aplicó para mi relación con la ptitsa que amo; también para otros aspectos "relativamente relevantes" de mi vida.

Dos noches después, Pixie y yo tuvimos otra sesión de supermercado. Como era de esperarse, ella no parecía agobiada con la noticia que había recibido. Nada puede detener su buen humor. Pixie jamás para de sonreír. Pixie es un ángel que ilumina la habitación en la que entra. Pixie no lee libros ni ve películas sesudas, pero siempre tiene algo que decir. Y siempre te alegra el corazón escuchar que alguna palabra ha salido de su boca. Caminar por el supermercado de la mano de Pixie es como ir flotando, como ir montado en ese juego mecánico del pulpo en el que te trepan en un carrín-tentáculo y allá vas, cruzando el cielo, vuelta tras vuelta. Con Pixie no necesitas una nave espacial para atravesar el éter. Con Pixie no necesitas brújula o compás.

Flotar con mi Pixie-Poppins en el pasillo de la comida para perros, en el del pan dulce, en el de los congelados, en el de la leche, en el de los refrescos.

Esa noche, en el súper, al ver a un mozo acomodar latas de atún Tuny, se me ocurrió que podía pedir empleo ahí. Un mcjob. Un mcjob era lo que yo necesitaba. ¿Por qué no probar lo que hacía tan feliz a mi propia y privada Pixie? Encontramos a la gerente, una hipopótama de trescientos kilos que le presumía a la cajera de la dieciocho que había bajado tres lonjas en su primera semana de dieta. No le pregunté, con mi acento de naucalpense, por qué las ptitsas se obsesionan de tal forma por bajar de peso, sino por las plazas laborales. Y bueh, ustedes podrán imaginar que un autoservicio siempre necesita chelovecos ganosos, y más a altas horas de la noche. Llené una aplicación y el trabajo era mío. Le aseguré que al otro día le llevaría todos mis papeles, pero que en ese mismo momento me dejara empezar con mi nuevo puesto de chalán. La cerda aceptó. Huelga decir que me sentía igual de bien que Kevin Spacey en *American Beauty*.

Pixie se llevó el Audi y a mí me llevaron al almacén. Hasta las seis de la mañana acomodé embalajes de Zucaritas. Debo decir que un chalán cargando cajas de Zucaritas con un suéter de lana de DKNY de trescientos cincuenta dólares se ve sexy. Cuando el sol salió, tomé un rickshaw de regreso al departamento. Justo en esos momentos, Midyet se emperifollaba para su cita diaria con Hank. La saludé mientras, exhausto, me tiraba un clavado en la cama. Ella respondió con un "JHGçlkdf,,,,º¨".

Dormí como nunca. Dormí como un bendito.

OCHO

Olviden las viejas teorías de control en el supermercado. Olviden esas mamadas de la salida estratégicamente colocada para que tengas que recorrer todo el autoservicio. Olviden los focos rojos encima de los refris de carne. Olviden la música pausada cuando el súper está semivacío y la acelerada cuando se encuentra lleno. Olviden la "publicidad subliminal" y las técnicas hipnóticas de anaquel. Na na. Si algo no emplean los supermercados es la sutileza. Durante mis primeras semanas como chalán de almacén aprendí las tres formas básicas que emplea un *grocery* para vender: número uno, el cincuenta por ciento de los productos a la venta son líquidos. Esto se traduce en que el cincuenta por ciento de lo que lleves en el carrito sean, uh, líquidos (no tienes que ser un pendejo erudito en mercadotecnia por la U. de H. para entenderlo. Lo que es asqueroso es que, *en efecto,* hay vecos que desperdician cinco valiosos años de su vida para aprender tales mamadas). La venta fuerte de los supermercados es H_2O: revisen su carrito y verán que la mitad es agua embotellada, yogur líquido, Coca-Cola, vino, cerveza, polvo para hacer aguas frescas, consomé en cubitos, sopa deshidratada, Gatorade, bebidas energéticas, jugos, néctares.

La segunda es la desinformación. No sabes lo que te venden. ¿Por qué no? Porque no te lo dicen. En su lugar, emplean terminajos pseudocientíficos acuñados por el mismo cagada erudito en mercadotecnia (de algo tenía que servir la carrera). Puedo ver, ahora mismo, a la señora pendeja, al yuppy lamehuevos, a la teen acomplejada, al ruco panzón y al jovenzuelo sinfuturo en el departamento de perfumería, tratando de decidir si su cabello necesita shampoo de Neutrógena con néctar de miel, aceite de almendras, sávila, proteínas, concentrado activo de frutas, keratina, vitaminas y filtro UV, extractos de rosas, flores blancas e ylang-ylang, naranjo, algas marinas y limón, madreselva, margarita, extracto de cosuela, aloe vera, germen de trigo o un producto revitalizante, o de control de la caspa, o para cabello teñido, graso, seco, fino a delgado, regenerador, con placenta y pantenol, algo que proteja el color, un fortificante, un reparador... o simplemente un acondicionador con ceramidas y aceite de oso.

Insólito.

La tercera es mi favorita: un lepe, normalmente un canijo (esto es, con carita ceniza y moquito seco), se acerca a los carritos de los vecos y deposita productos que ellos no han buscado ni, obviamente, necesitan. Cuando señora pendeja se distrae escogiendo mandarinas, el canijo le echa un discman. Cuando yuppy lamehuevos se concentra leyendo la letra pequeña del mismo gel Studio Line que compra todos los meses, el canijo le avienta tres kilos de bacalao. Cuando ambos llegan a la caja, ni siquiera se dan cuenta de lo que traen consigo, y simplemente lo pagan. Y si se enteran de lo que ha pasado, les dará demasiada pena como para negarse a mostrar su maravillosa y poderosa tarjeta de crédito.

The All Mighty Visa, Reina del Department Store, Emperatriz del Cashier, Oscura Mandataria de la Wallet.

Una noche sustituí a un canijo y anduve poniendo cosas en los carritos de los clientes. La gerente me felicitó. Puso mi foto en el mural de EL EMPLEADO DEL MES. Todos mis coterráneos estallaron en un furioso aplauso.

¡Lo hice, lo hice! ¡Mami, mami, lo logré!

En mi trabajo original, nadie se pregunta por qué llego en la tarde, leo algunos e-mails y firmo memos y me largo de regreso a casa. Mi jefe jamás hace preguntas. No está enterado de lo que hago y lo que no hago. Confía en mí y cree que me dedico en cuerpo y alma a elevar el bienestar de la empresa, a incrementar la productividad y la eficiencia. El gran comemierda. En realidad, yo respetaba más a la gerente del supermercado que a mi jefe.

Si algún día llego a ser gerente de un supermercado, procuraré hablar con todos los empleados. Desde el canijito cerillo hasta el jefe de departamento. Conocer sus dudas, sus anhelos.

A Clavius, por esas fechas, lo despidieron de su empleo.

"¿Qué pasó?", le pregunté a madre cuando se dio la ocasión.

"Siéntate, siéntate primero."

El rostro de madre, pixeleado, llenando el monitor de cristal líquido de una de las dos computadoras que tengo en la oficina.

"Cuéntame qué sucede."

"Tu hermano Clavius perdió su trabajo."

Joaquín Rodrigo. Segundo movimiento del *Concierto de Aranjuez*. Pongan la parte climática.

Madre a mil quinientos kilómetros de Ramos Arizpe. Y de todas formas el monitor parecía encenderse.

"¿Qué?"

"Perdió su trabajo."

Me acerqué a la pantalla. Abrí un poco más la ventana. Madre en la cocina, claro. En la cocina naucalpense en la que me preparaba huevos con frijoles los sábados en la mañana.

"¿Es todo lo que vas a decir?", ladró.

"¿Cómo fue? ¿Cuándo?"

Clavius adoraba su trabajo. Clavius era un "huicho".

"Lo corrieron ayer. Le están inventando cosas."

Un "huicho" es un veco que se dedica a perseguir y encarcelar comerciantes ambulantes. Es un oficio muy naucalpense, saben.

"Dicen que aceptó dinero. Dicen que está haciendo tratos

fraudulentos en uno de los guetos. Que está enredado con una unión subversiva de tenderos."

En Coahuila no hay ambulantaje. Coahuila es el Primer Mundo. Naucalpan es como el Quinto.

"Posiblemente le entablen juicio. Ayer lo pillaron entre dos abogados y su jefe."

Evidentemente, yo no lo podía creer. Su trabajo era... sólido.

"Amenazaron con meterlo a la cárcel. No le dieron indemnización."

Tres semanas antes, Debbie había organizado una de sus visitas relámpago a Saltillo, esas de un-momento-estás-en-los-brazos-de-Morfeo-y-al-otro-abriéndole-la-puerta-a-tu-cuñada-la-señora-tetas-colgadas. Clavius, por supuesto, iba en la misma minivan que ella. Y mi sobrino Cole detrás, en su sillina de quinientos noventa y nueve dólares más tax.

A la tercera cerveza, Clavius se arrancó a darme su rosario de consejos no pedidos. Verán, él es un veco que se toma muy en cuenta eso del "rol social". Como se casó, le gusta dar la apariencia de Casto y Amoroso Esposo. En su empleo, jugaba el papel de Enconado y Comprometido Miembro del Equipo. Y conmigo, bueh, tomaba la actitud de Sabio Hermano Mayor.

Nada peor que eso.

Traten de pensar en mí, con una Sol helada en las manos, la mirada perdida en el césped, alucinando que en el jardín común del Melrose Place se levantan y caen imperios de hormigas que conquistan basureros y fregaderos, y que en algún momento una hormiga-Julio César es traicionada y asesinada.

Et tu, Brute?

Y *suspiro* mis ensoñaciones son mutiladas por fatuos consejos de un hermano mayor que no es ni mejor ni peor que yo. Ambos estamos igual de xodidos, en el mejor de los casos.

Primero, cuestionó mi empleo.

Luego, mi falta de interés.

Por último, mi desgarbado aspecto.

Midyet celebró lo último con un "khjfsdhklUYUYU".

Ese sábado, o domingo (whatever), yo vestía una playera de Nirvana. Decía:

FUDGE PACKIN'
CRACK SMOKIN'
SATAN WORSHIPPIN'

Kurt Cobain es el único y verdadero héroe de nuestra generación. Bien podrían llamarnos la Generación Cobain.

Anuncié que tenía intenciones de ponerme un tatuaje. Clavius rió, sin parar, unos veinte minutos, y me cuestionó severamente con un "¿qué dirán tus hijos cuando vean ese horrible jeroglífico que te hiciste en tu juventud?"

Como si tuviera algo que ocultarle a mis hijos.

Clavius mandaba golpear y torturar a vendedores ambulantes. A madres de lepes. A padres de lepes. A lepes vendechicles.

Eso sí es algo que debe ocultársele a los hijos.

De modo tedioso, se sirvió otro Jack D. y me miró con lástima. Como cuando ves a un perro atropellado en el periférico y te compadeces de su suerte.

Clavius no entendía que yo había aprendido a que me valiera verga la vida.

Y madre, aquel día de su videollamada, acababa de decirme que no le habían dado nada de dinero a Clavius. Yo le dije que no indemnizan a la gente por fraude.

"¿Desde cuándo eres abogado, pendejillo?"

Ups, perdón.

"La mierda."

Luego, simulé que tomaba su mano virtual y le dije que ella podía contar conmigo.

"No me pongas esa cara de peneque. Tampoco me hagas promesas estúpidas."

Rebuzné un bla bla bla y ella se echó a llorar.

"¡Estoy destrozada! ¡Lo menos que necesito es que me vengas a xoder con esas chingaderas!"

"Madre..."

"¡No me interrumpas!"

Okey.

"Esto es una desgracia, una puta desgracia."

Luego le dije que estaba seguro de que Clavius iba a encontrar algo pronto. Y con ese cinismo que tanto amo de ella, respondió:

"¿Quién está hablando de Clavius? ¿De qué voy a vivir yo? ¡Dime!"

"Bueno, yo te voy a seguir dando..."

"¿Tu mierda? ¿La mierda que me das? ¿De eso me estás hablando?"

"Será una mierda, pero es algo."

"Claro, es mierda. Eso es lo que dije. Yo sé muy bien lo que dije."

Unos segundos atrás, Jackie había entrado a mi oficina. Arreglaba unos papeles. Una pixeleada madre, a través del monitor, dirigió la mirada hacia ella y graznó:

"¿No es eso lo que dije?"

"Buenos días, señora Pirulazao."

"¡Chinga tu cola!"

Yo quería ahorcarme con mi corbata de Hugo Boss.

"Pero..."

"¡No, con un caraxo! ¿Fue eso lo que dije o no?"

"Eso es lo que dijo, señora", replicó Jackie, cabizbaja.

"¿Ves? Carabonita sabe de qué estoy hablando. Todos menos tú", madre regresó su mirada a mí.

A mí se me ocurrió preguntar (ah, la cala) si en verdad era una mierda lo que le daba, y madre golpeó el mueble en el que tenía su computadora, allá en Naucalpan, y yo sentí que había temblado hasta Cuatrociénegas:

"¿En qué idioma hablo? ¿En changuito?"

"Madre..."

"¡Unga, unga! ¡Soy Urko, soy Urka!", gritó y se puso a dar de brincos en su cocina naucalpense. "¡Soy un cabrón mico y hablo changuito!"

"¡Ya, madre!"

Se detuvo en seco. Respirando pesadamente, declaró:

"Es una mierda lo que me das. Nada que ver con lo que él me daba."

Yo ganaba como diez mil dólares menos que Clavius al año. No tenía su edad, ni su experiencia. Ni su empleo, claro.

"¡Y nunca lo tendrás! Ni su estatus, ni su nivel de responsabilidades, ni sus corbatas, ni sus zapatos, ni su auto, ni su departamento, ni su esposa."

¿Ven por qué no me gusta razonar con las mujeres?

"¡Un gran personaje ha caído!", siguió madre, y pueden imaginarla con una enorme toga blanca que le queda grande, y una corona de laurel en su cabeza. "Mi hijo ha caído, mi hijo apuñalado, mi hijo traicionado, trece agujeros en su costado, trece agujeros en su pecho, trece dagas en su frente, su honor torturado, su pasado mancillado, su futuro deshecho, su casa violada, su sagrado empleo en el lodo, serpientes en su seno, intrigas, horribles verdades, grima ¡grima! Grima ante los ojos de mi hijo, ensagrentado, ahí tirado. Su sangre moja este mármol. De su cuerpo comen los buitres. De su tragedia otros se aprovecharán. ¡Desgracia! ¡El horror! ¡El horror! *Et tu quo filimei? Et tu quo filimei?*"

Estoy de vuelta en Naucalpan. Es de noche, y la estancia de la casa de padre y madre se convierte en el senado romano. Jackie, aterrorizada, se esconde detrás de mí. Se escuchan pasos. Lentamente, casi en *slo-mo*, se vislumbra una figura a contraluz.

"¡Es tu hermano! ¡Rápido, escóndanse!", grita madre, y de inmediato nos empuja detrás de un ropero. "¡Escóndanse, escóndanse!"

"¿Por qué?"

"No puede verte, no ahora."

Dando pasos cortos, aparece Clavius cargando un portafolios de cuero roído, un agujerado traje de Ermenegildo Zegna, un teléfono portátil sin pila, la corbata desanudada y, cubriéndole el rostro, una máscara de calavera. Madre cae a sus pies. Clavius se detiene y un potente reflector lo ilumina desde las alturas. Mi hermano dice, finalmente:

"Yo soy Clavius Pirulazao. No soy nada. Nunca debí salir del vientre de mi madre. No soy nada."

Jackie había huido un rato atrás. Mi monitor estaba apagado. A decir verdad, nada de lo que madre pudiera decirme me afectaba. Ella no entendía que yo había aprendido a que me valiera verga la vida.

Yo necesitaba un agua de guanábana.

Adentro de mí, la molesta sensación de vacío, de *emptiness,* de nada, de nada más que nada, había desaparecido. Los largos domingos vacíos y los largos domingos llenos de mierda ya no importaban. Las noches en vela pensando en el vacío, en los abismos de Pascal, en la gigantesca tristeza que me embargaba, esfumados. *Gone*. Idos. *Kaput*. Inexplicablemente, mis mamones razonamientos de filósofo griego ("no sé lo que me pasa, y si lo supiera, no lo podría comunicar") ya no ocupaban un lugar en mi cabeza.

Sólo tenía sed.

Necesitaba un agua de guanábana.

Pensé en Clavius, sentado en un amplio escritorio, frente a un gran ventanal con las luces de Naucalpan brillando en el fondo, y algunos copos de nieve cayendo al pavimento. Tristes copos de nieve, diría.

Pensé en Clavius, destrozado, después de que su jefe y dos abogángsters lo visitaran con guadaña en mano. Pensé en la bala de un .38 fracturando el cráneo del derrotado Clavius. Pensé en Obe San Román, uno de sus batuchkas, paroleando en su funeral. Obe San Román de traje, con abrigo de lana, sosteniendo una flor en una nevada colina en el panteón, frente al ataúd de mi hermano:

"Clavius tenía un puesto importantísimo en una oficina gubernamental. Comenzó persiguiendo vendedores ambulantes. Claro, él no hacía la chamba del *blade runner,* o sea, exterminarlos, pero sí el papeleo burocrático. Daba órdenes. Pronto dejó ese puesto y comenzó a escalar. Ganaba mucho dinero. Pero también gastaba mucho dinero. Cuando lo corrieron dejó de ganarlo y gastarlo. No hubo una razón aparente por la que fue despedido. De hecho, no causaba muchos problemas. Tenía lo que se llama un '*low profile*'. No poseía un carácter explosivo. Vamos, ni siquiera era enojón. Cumplió casi todos los deseos de su esposa, Debbie. Tuvo algunos problemas cuando se iba a casar con ella, básicamente porque mantenía dudas sobre esa decisión, y de pasó se enamoró de la hermana de Joselín, que se llama Nectarita. Yo también he estado enamorado de ella, digo, en algún momento de mi vida. Claro, ésa no es una muy buena referencia, dados mis antecedentes, pero en realidad Nectarita es alguien que le quita el sueño a cualquiera. Es muy joven, muy inteligente y muy hermosa. Pero no voy a seguir hablando de Nectarita porque ella no tiene nada que ver con esto. Clavius no la siguió viendo después de casarse. Ella ni siquiera está presente hoy. Olvídenla, por favor. De la misma forma, es probable que yo no sea la persona más adecuada para hablar de Clavius. Esto no sólo porque lleváramos una mala relación, ni porque durante años envidié su éxito económico. Nada de eso. Lo cierto es que no lo conozco. No puedo hablar mucho de su situación porque somos un par de desconocidos. A decir verdad, ¿quién puede decir 'yo conocí a este hombre'? ¿Su mujer? ¿Una ptitsa con un apetito voraz por las cosas materiales (aunque suene redundante) que él, por cierto, proveía (y muy bien)? En algún sitio leí que todas las separaciones se dan, en mayor o menor medida, por un adulterio. Todas. En este caso, digamos que Debbie comenzó a enamorarse de las cosas que compraba, de su vida de rata de mol, adquiriendo objeto tras objeto, y se alejó de Clavius. Poco o nada de sexo. Conversaciones nimias. Aburridas tardes de domingo. La respuesta natural del hoy occiso fue buscar en otro lado lo que no encontraba en casa. Y cometió ese otro tipo de adulterio, el que sí es castigado. Cogió a varias putas durante algunos meses y se aficionó al alcohol. Y se dejó descubrir por Debbie. No creo que el hoy muertito sea tan pendejo, más bien pienso que lo hizo a propósito. Como era de esperarse, a Debbie le entró una moralidad ceba y comenzaron los problemas. Nadie te puede acusar si fornicas varias veces al día con el troyano de la American Express, pero si lo haces una vez (¡una sola vez!) con una puta que conociste en una borrachera, ya te xodiste. Bueh, ya te xodiste si te descubren. A mi pobre amigo Clavius así le pasó. No es mi papel juzgar, aunque seguramente lo estoy haciendo, y sé que tampoco puedo ser objetivo, pero estoy de su lado. Extrañamente, estoy de tu lado, Clavius. Y hoy vengo a decirte mi último adiós."

Pueden relajarse. Nada de eso sucedió. Clavius sigue vivo. Nadie muere en esta historia. Aunque debo decir que el asunto de Debbie fornicando con el troyano de la American Express tiene una macabra relación con el asunto de Midyet cogiéndose a Hank en mis narices.

Sonó el teléfono.

Esto sí es real.

Era Pixie. Me invitaba a comer a su casa.

Miré el reloj. Marcaba la una de la tarde con cuarenta minutos.

Yo quería agua de guanábana, ¿recuerdan?

Clic. "Jackie, voy a comer. Posiblemente no regrese en la tarde. Estoy haciendo una investigación... de campo."

"Sí, señor."

Me levanté y, después de dudar un segundo, volví a apretar el botón rojo del interfón:

Clic. "Ah, y si vuelve a hablar mi madre, mándela por un tubo."

Una pausa, y luego:

"Sí, señor."

Veintiséis minutos después, estaba, con mi traje de lana y mi camisa de algodón y mi corbata de seda y mis pelos tiesos con gel Studio Line, de pie en alguna banqueta de la zona industrial de Deep Ellum.

Toqué el timbre. Curiosamente, no les he hablado del lugar en el que vivía Pixie. Esto es porque nunca había entrado. Siempre la recogía en la calle, o la veía en algún sitio.

Pero no ese día.

Pixie me había invitado a comer a su departamento, al departamento que le había comprado el cenador con mis impuestos y los tuyos. Me sentía halagado.

Estacioné el xodido auto frente a una reja de cortina pintarrajeada. Pixie se asomó desde una ventana cochambrosa y me dijo "¡hola hola!" agitando la mano. Bajé y le puse el tuit tuit al coche, y lo mejor es que me valía verga si lo robaban o desvalijaban. Sentía que era viernes aunque no era viernes. Estás enamorado cuando estás con alguien y sientes que es viernes aunque no sea viernes.

Subí por las roídas escaleras y caminé por un húmedo pasillo. Estaba oscuro, con excepción de un ancho rayo de luz que se colaba por una rendija y que iluminaba, exactamente, la puerta del departamento de Pixie.

Doscientos dos.

Toc toc.

Otro "¡hola hola!" y un beso y un abrazo.

La puerta se cerró detrás de mí. No me refiero a la canción, claro.

"Ésta es mi casa", dijo Pixie, extendiendo los brazos. "¿Qué te parece?"

La estancia era muy pequeña. El piso de parquet, hinchado y viejo. Un love seat de plástico con los cojines hundidos, la mesa de centro de madera quebrada, una lámpara de piso aquí, un trinchador allá.

Pensé, febrilmente, que mi futón japonés se vería bien enmedio de todo.

La cocina era un pequeño pasillo de dos por dos, y tenía un agujero que daba a la sala. El fridge era como los abombados compartimientos de plástico y metal en los que hibernaban los científicos que HAL mató en *2001: Odisea del espacio*. El microwave, de perilla. El fregadero, de aluminio. Necesitabas prender la estufa con pedazos de periódico ardientes, y el extractor de humo no servía.

El minihorno no tocaba MP3.

En suma, aquel departamento era un gran pedazo de mierda. Y me encantaba.

Me quité el saco. Lo puse encima de un añejo fido; un Zenith, según parece.

"¿Quieres algo de tomar?"

Hacía calor.

"¿Tienes agua de guanábana?"

"Mmm... no. Pero hay cerveza. ¿Quieres cerveza?"

"Claro."

Qué fácil cambio de pensar.

Desanudé el nudo de mi corbata. Me arremangué la camisa. Concentré mi mirada en el Zenith. Tenía una planta encima, una suerte de bulbo enclavado en una maceta con un frondoso mechón de ramillas cayendo por ésta.

"¿Sirve el fido?"

Pixie regresaba con dos cervezas.

"No, claro que no. Lo tengo de adorno. Le pongo plantas encima."

Había olvidado lo rápido que caducan hoy en día las cosas.

"¿En dónde ves el fido?"

"En la recámara", señaló con la cabeza. "Tengo un Sony."

"¿No has pensado en arreglar el Zenith?"

"¿Para qué? No le puedes conectar el DirecTV, el PlayStation, la VCR o el DVD."

Ah, Pixie piensa en todo. Adoro eso en una ptitsa.

Me sonrió.

"¡Salud!"

Salud, Pixie, hermosa mujer, hermosa Pixie. Musa, hermana, amante, amiga, mancornadora.

"No sabía que un fido podía servir para poner plantas encima."

"A Odish le encanta estar arriba del fido."

Odish es el nombre de la greñuda planta.

"Eso es... bueno."

"¿Por qué no hacerlo?"

Pixie Ruta Menos Transitada. Pixie hace muchas cosas al revés. O simplemente hace lo que otros no. Si le preguntan a Pixie si quiere tomar el camino A o B, ella dirá que el C. Si le preguntan a Pixie cuál es el vampiro más famoso de la historia, dirá que Lestat, no Drácula.

Un vampiro no entra en tu casa a menos que tú lo invites.

"Odish es feliz encima del fido."

Así fue como conocí a Odish.

Rrrrrrrrrrrrrrring.

Ése era el timbre.

"*¿Puedo subir?*"

Ése era el repartidor de pizzas. Pixie lo había llamado mientras yo manejaba el Audi de la oficina a su departamento de mierda. Pixie piensa en todo, les digo.

Nos sentamos en el comedor, una suerte de mesa de madera plegadiza, lista para jugar cartas o dominó en, ¡zas!, tres segundos. No que a ella le gustara esa mierda, no. Alguna tía se la había regalado, eso era todo.

Igual me la presumió.

Pixie, orgullosa de sus cosas, de su departamento de mierda.

La ominosa caja de Domino's Pizza se extendió frente a nosotros. Pixie me explicó que prefería Pizza Hut pero había ordenado a Domino's porque Pizza Hut no repartía en el área del Deep Ellum. Luego bromeamos sobre la similitud entre "Pizza Hut" y "Jabba the Hutt". De ahí saltamos al tema de los mcjobs, y yo confesé que alguna vez había sido garrotero en un antro vaquerito. Más tarde, charlamos sobre esos raros incidentes sexuales que a todos nos pasan. Pixie mencionó algo del pobre Mod. Yo comencé con mi episodio con el Rey Lagarto:

"¿Cómo fue?"

"Era cuando la rolaba mucho con Mildred y su hermana Evelyn."

Pixie ya sabía que, en mis años preuniversitarios, yo había tenido una novia que se llamaba Mildred que tenía una hermana que se llamaba Evelyn. Sí, como Evelyn Lapuente.

"¡No habrá sido Evelyn!"

"Espera. Por razones que no vienen al caso, nos colamos en la Van de unos jipitecas que iban a Woodstock."

"¿Fuiste a Woodstock? ¡Yo también!"

Ella y yo nos referíamos al festival del noventa y cuatro. No habíamos nacido cuando fue el del sesenta y ocho, por si se lo preguntaban.

"¿En serio? ¿En dónde estabas?"

Pixie describió con una tenebrosa exactitud el lugar en el que había acampado. *My people Woodstock!*

"Bueno", proseguí, "estos jipitecas fumaban mucha mota".

"¡Mucha mota, mucha mota! ¡Alain Vega, Alain Vega!"

Ésa es otra anécdota sobre un viaje a Chacahua que ya le había platicado a Pixie, pero no viene al caso en este momento.

"Evelyn comenzó a fumar como desquiciada. Se la pasaba junto a un tipo que era idéntico a Jim Morrison. Se la pasaban manoseándose, ésa es la verdad."

"Ohhh."

"Mientras estábamos en el festival, Mildred se me perdió. Yo regresé a la Van, y ahí los vi."

"¿Cogiendo?"

Es una fortuna encontrar a una ptitsa que llama a las cosas por su nombre.

"Eso. Entonces, quién sabe por qué, se me antojó mucho y, para mi perra suerte, me invitaron a hacerlo con ellos."

"¿Qué tal el Morrison?"

"No se me antojó por él."

"Ah, no te hagas güey."

"No, en serio. A la que me empaqué fue a Evelyn."

"¿Y qué tal estuvo?"

"Bien, creo."

Es una fortuna encontrar a una ptitsa con la que puedes parolear de las situaciones embarazosas.

"Evelyn tenía tanta... masa. Se le desbordaban las grupas. O yo estoy oxidado o ya no me acuerdo lo que es xoder con alguien tan obeso."

Sin contar las tetas estriadas de Midyet.

"Pero te gustó."

"¿Tú qué crees?"

"Bueno", Pixie tomó de su cerveza, "la verdad es que las gorditas tenemos lo nuestro".

Ah. Pizza y cerveza. Eso es lo que yo llamo una combinación ganadora.

"Tú no estás gorda."

"¿En serio?"

"Para nada."

"¿No me estás diciendo mentiras?"

Tomándola de la mano, le dije:

"Mírame: ¿crees que te mentiría?"

Pizza y cerveza. Y la mano fría de Pixie. Una combinación ganadora.

Sentí que Odish nos observaba. La muda Odish. ¿Existe el género masculino en las plantas?

Hacía calor.

Al terminar de comer, Pixie me llevó a su recámara. Al entrar, de inmediato se lanzó un clavado a la cama. Desordenadamente, se quitó los huaraches que traía puestos y, boca abajo, pareció ponerse a buscar algo junto a un buró.

Frente a mí, unas paradas nalgotas enfudadas en unos Levi's.

Regresó de su escondrijo y con la mano golpeteó en la cama, indicándome que tomara asiento ahí.

Y no, no es lo que piensan. Había puesto un disco de Jimi Hendrix.

"Ése es el fido que regularmente veo", señaló un Sony de

treinta y seis o treinta y ocho pulgadas y dos puertos al frente para cables RCA y USB. Luego, me confesó que se colgaba del DTH de un vecino y no pagaba un quinto.

Exploré su cuarto. Un ventilador daba vueltas en el techo, agitando una docena de pósters pegados en la pared: Cobain, Morrison, Vedder, Cornell, Weiland, Hendrix.

May This Be Love.

Me mostró un disco de vinil de REM. En la contratapa estaba firmado por Michael Stipe.

Fall on Me.

"Vinieron a Saltillo hace cinco, seis años. Me quedé esperando a que salieran del hotel, con unas amigas de la secu, de noche y nevando."

Me confió que no le molestaría hacerse *groupie* de una banda de rocanrol. Yo pensé en Penny Lane. Luego pensé que ése es el tipo de ptitsas que nos ha dado el rocanrol. Ésas son las hermosas ptitsas que ha legado el rocanrol.

Cobain, Morrison, Vedder, Cornell, Weiland, Hendrix. Puros vecos muertos. Ése es el tipo de héroes que nos ha legado el rocanrol.

Un teléfono portátil sonó, y Pixie hurgó entre sus cojines y sus muñecos de peluche hasta hallar el Nokia con la antena mordisqueada. Una vez que lo tuvo en las manos, lo apagó.

"Estoy contigo. Prefiero no responder ninguna llamada."

Escuchamos discos de Led Zep y Soundgarden. *Superunknown.* Recordé mis roles en un auto de AlamoCarRent en el Lyndon B. Johnson, entre Naucalpan e Irving. Acordamos que pocas cosas son tan maravillosas como manejar un auto veloz en un freeway escuchando música.

Pixie abrió una persiana y dejó ver un balcón armado con sillinas y una mesita. Puso un vinil de Smashing P. y dijo "ahora vengo". Puedo verla, en *slo-mo*, saltando de la cama, descalza, con carcomidos jeans sin cinturón y una blanca playera aguada, sin bra.

Pixie usa aretes pequeños.

Pixie usa nariz de primor.

Pixie usa mejillas rosadas.

Pixie usa cabello corto, y labios carnosos.

Un minuto después estábamos sentados en el balcón, fumando, viendo las horribles calles del Deep Ellum. Caía la tarde. Hablamos de estar vivos, tomando cerveza y fumando y viendo las horribles calles del Deep Ellum. Hablamos de las cenicientas plantas de sus pies, y de mi ridícula corbata de cuatrocientos dólares. Hablamos de hacer un viaje a Monclova, ella y yo, solos, y comer cabrito y escuchar jazz y ver un atardecer en el desierto.

El gran tedio americano.

Otro día, miércoles, quizá, sonó el teléfono. Yo estaba en la oficina.

Era Pixie. Me pedía que la acompañara a comprarse zapatos.

Clic. "Jackie, voy... afuera."

"Sí, señor."

Treinta y siete minutos después, estaba estacionando el Audi frente a la puerta H de Saks.

Departamento de zapatería.

Me había metido un chicle a la boca. Una barra de Clorets es como un falso lavado de dientes. Es, más precisamente, un "seguro" en caso de que vayas a besar a una ptitsa.

Somos la Generación A La Que Le Huele Mal La Boca.

En esos momentos, como pueden imaginarse, yo contemplaba la posibilidad de llevar a cabo con Pixie un "adulterio real" —como lo llamaba Obe San Román en el discurso imaginario del funeral imaginario de mi hermano Clavius—. Pixie, con encantadores pantalones acampaguados y camisa azul cielo y saco de cuero guinda, sostenía en sus manos un horrendo par con tacones a la Gene Simmons.

Me saludó "¡hola hola!" con sus pestañas de campeonato y corrimos a abrazarnos. Parecíamos dos amantes separados por la guerra y puestos en campos de concentración opuestos y que, finalmente, se encuentran después de muchos años.

Por desgracia, a un lado de nosotros, como crítico de cine de mierda, estaba Cole, disfrazado con anteojos de grueso armazón, suéter de cuello de tortuga y saco de pana.

"Hola, Cole", saludé.

Lo que siguió fue un mamón "videoclip" con una canción de The Everly Brothers de fondo: Pixie probándose un zapato tras otro, Cole y yo, en sillas contiguas, frente al vestidor, fumando, aprobando y desaprobando los modelitos.

This Old Heart of Mine.

Finalmente, como a la mitad de la canción, Pixie le dio al clavo y todos aplaudimos.

Zapatos rojos... sólo una mujer se compraría unos zapatos rojos.

Así de esquemático puedo llegar a ser.

Pixie modelando sus zapatos rojos. Una balada inundando el lugar. Los pantalones acampaguados de Pixie son sustituidos por una falda negra de terlenka. La camisa azul cielo por una pegada blusa. Su cabello crece, rizado y suelto, y los labios se pintan instantáneamente. Sube una pierna a una silla y coquetamente presume los rojos zapatos. Detrás de mí, Cole se transforma en Mark Hamill y la cajera en Philip Seymour Hoffman, ambos vestidos de esmoquin, y cada quien carga un violín. Tocan deliciosamente. Pixie me sonríe y dice, despampanante:

"¿Quieres bailar conmigo?"

Al ritmo de la lenta canción, nos deslizamos como en un vals por el departamento de zapatería.

Pienso: "¿Estoy soñando?"

Comienza a surgir otra música. Es *Soul Sauce* de Cal Tjader. La taimada batería y el güiro ponchan mis oídos, y el encantador sonido de la marimba se combina con una luz blanca centelleante.

"Este foco anda fallando últimamente."

Ésa es la voz de Señor Amigos Cagantes.

Mis codos, apoyados en una "cantinita" de caoba importada. Mis ojos, clavados en una botella de Absolut que resalta del resto del alcohol que aquel pendejo guardaba en su pequeño antrillo doméstico de mierda.

El foco continuaba apagándose y prendiéndose.

"Debe ser un falso", comentó casualmente.

Sí, siempre es un falso.

Yo soy como un Falso Contacto.

Luego, paternalmente, Señor Amigos Cagantes me dijo:

"¿Seguro que no quieres venir para acá?"

Lentamente, volteé la cabeza a la sala, en donde la bola de hijosputa del trabajo de Midyet "charlaban" alegremente.

"La iluminación es más agradable", dijo.

Enmedio de la bola, reconocí a Midyet, quien se hacía la chistosa contando la anécdota del huevón que se había metido a nuestro departamento.

El asco. La náusea.

"No, gracias."

Everyday I Have the Blues.

Otro vodka. El vodka y yo somos amigos.

Jugo de naranja.

Quince minutos después, el escusado.

Fsssssss. Un largo chorro de orines.

Al salir, fui interceptado.

¡A la treinta, a la veinte, a la diez... touchdown!

¡No! ¡Esperen! ¡Fumbleó!

Ahora, me vi sentado en un sillón de tapicería italiana. Lo más lejos que podía estar de Midyet.

Lullaby of Birdland.

"La cena estuvo de-li-cio-sa."

Sí, perra, lo que tú digas.

"Y qué maravillosa latería tienen en Dre's."

Ajá, puta de mierda. Métete los mejillones por el mejillón. Por tu propio y privado mejillón.

Otros quince minutos.

Otra visita al escusado.

Otro largo fssssssssss.

De nuevo interceptado.

"Ándale, amargues, quédate aquí."

Ésa fue la Señora Amigos Cagantes. Suele emplear mucho esa expresión, "amargues". Es como un "neologismo". O un "eufemismo". La palabra "eufemismo" es un "eufemismo". Pero eso es un "lugar común". Bueh, la expresión "lugar común" es un "lugar común".

No confío en los vecos que dicen "amargue", "eufemismo" o "lugar común". Por lo general son hipócritas y pendejos.

De nuevo:

"Ándale, amargues, siéntate aquí, con nosotros."

Otro vodka, por favor.

Mudo.

Podían coserme la boca. No pensaba parolear nada.

Quince minutos más. Curiosamente, no tenía ganas de ir al baño. El ciclo se había roto.

"¿Cómo van las cosas?", me preguntó Amigo de Señor Amigos Cagantes.

Respondí escupiéndole un hueso de aceituna a los pies.

Mmm.

"Y... ¿han pensado ya en tener familia?"

Ésa fue la voz de Señor Amigos Cagantes.

Por desgracia, me había quedado sin huesos de aceituna. Traducido al castellano, Midyet respondió por mí:

"Ya hemos hablado de ello. Pero no sé si estemos listos."

"¿No tendrás ideas negativas al respecto?", de nuevo me inquirió Señor Amigos Cagantes.

Llené mi boca con una carga de doritos con dip.

"¿Sobre qué?", preguntó muy educadamente la pendeja de Midyet.

"Sobre la paternidad, claro."

"¡Para nada!", exclamó ella.

"Les voy a dar un consejo a ambos", dijo Señor Amigos

Cagantes poniéndose su toga negra y su estúpida peluca de Venerable Anciano Leguleyo Británico. "No se dejen llevar por ideas radicales de que no vale la pena traer niños a sufrir al mundo, a un lugar donde no tendrán oportunidades."

Tragué.

Me rellené el hocico de botana.

"No nos había pasado eso por la cabeza, ¿verdad, amor?", me dijo Midyet, y su mirada de Gorgona atravesó la sala de nuestros anfitriones. "¿Verdad?", insistió.

Eructé.

(...)

Después de un silencio incómodo, Señora Amigos Cagantes se levantó de su sillón y cogió una foto enmarcada de una mesa próxima a ella.

"Miren, queremos compartir esto con ustedes."

"¿Qué es?", interrogó Midyet, fingiendo interés.

"Sabemos que no es una decisión sencilla, pero puede llenar su vida de gozo y alegría", ladró Señor Amigos Cagantes con una sonrisa de esas de típico gringo imbécil.

"¿Pero qué es, qué es?"

"Es la foto de nuestro nuevo hijo", anunció Señora Amigos Cagantes.

Los asistentes lanzaron un "ahhh" y comenzaron a pasar el portarretratos. Bufando, me dirigí a la barra a servirme otro vodka. La muy Cuya está preñada una vez más, pensé.

"Es una reproducción del primer ultrasonido que nos hicimos."

"¿Que nos hicimos o que ella se hizo?", cuestionó un avispado Amigo de Amigos Cagantes.

"Que nos hicimos", aclaró Señor Amigo Cagante. "Cuando hablamos del embarazo siempre lo hacemos en plural."

"¿Por qué?"

"Así sentimos que lo compartimos más de cerca."

"¡Ahhh!"

Yo quería vomitar. Y no precisamente por el vodka. Midyet

hasta se las arregló para derramar unas lágrimas de cocodrilo y berrear un "es maravilloso".

"Es nuestro tercer embarazo."

"Nuestro", musité desde la "cantinita".

Toda la concurrencia me miró con desprecio. Amigablemente, Señor Amigos Cagantes dijo desde la sala:

"Evidentemente, tienes dudas."

Mordí un hielo.

"Mi mejor consejo es: no te preocupes demasiado. Midyet se ve menos agobiada con la idea y eso es muy, muy importante. Cuando una mujer no está convencida, empiezan los problemas. Ella es la que, finalmente, lo lleva adentro."

Me mordí un huevo.

"Mírala", intervino Señora Amigos Cagantes. "Se le iluminó el rostro."

Me crucé de brazos.

"Velo por el lado amable", prosiguió, "con ese rostro de ángel que tiene Midyet, podrían tener un niño precioso".

Imaginé, por un segundo, que estábamos hablando de Pixie, y que ella estaba sentada en esa sala y que yo levantaba gentilmente su barbilla y les decía a todos: "Claro, la dulce Pixie. Estos hermosos ojos texanos no los encuentras en ningún lado. Ni en Texas."

Pero Pixie no era Pixie, sino Midyet. Y yo era otro. Repentinamente, el mundo me valía verga.

"No has dicho nada", urgió Señor Amigos Cagantes. "Di algo."

Lo miré de soslayo y disparé:

"¿Qué chingados quieres que diga?"

(...)

"Ahora que fuimos a Orlando, me tocó ver algo curioso en Epcot", comencé, en voz muy alta. "Estaba este gringo de mierda, lanzándole pases a una lepa de unos siete u ocho años. Pases largos con un balón Wilson de considerable tamaño. Un tamaño, digamos, colegial. Quince o veinte yardas. Cuando tienes ocho años quince yardas es un chingo. El cerdo se los echaba bombeados… un poco menos, un poco más. ¿Y la lepa? Bueno, no los cachaba. Y el veco la regañaba. Le decía que le había enseñado mil y una veces cómo cachar pases, ¿por qué no lo hacía bien entonces? Después de que no pudo recibir el décimo envío que, curiosamente, había sido un trallazo a la cara, le gritó '¡pendeja de mierda! ¿Qué necesito para que lo hagas bien?' En ese instante, llamó a otra lepilla, un poco más grande, quizá de once o doce años. Le ordenó a la anterior morra que se fijara, y lanzó otra bombita. La nueva güerca sí la cachó y el *white trash* de cagada ladró: '¿Es mucho pedir que lo hagas así?' La esposa del estúpido, otra *redneck*, estaba sentada en la banca con dos güercos más, un par de güerillas: una en pañales caminando como robot retrasado mental y la otra todavía en brazos, mamando de un biberón de Minnie Mouse."

El silencio continuaba. Señor Amigos Cagantes me observaba con la boca abierta.

"¿Y sabes qué más? Tú me cagas. Eres un perdedor de mierda." Con el vodka en una mano, señalé a Señora Amigos Cagantes. "Y tú eres una puta rastrera que sólo sabe parir fetos." Y así señalé a los otros cuatro: "Tú tienes la vagina en la cara y la cara en la vagina"; "tú te comes la mierda de tu jefe"; "tú mamas vergas por un aumento del seis por ciento" y "tú eres una ramera besaculos que lame el escusado en el que caga tu marido".

Sólo me quedaba Midyet. Me acerqué a ella y le dije:

"Y tú eres una reverenda hija de la chingada. Me orino en ti, puta."

Salí de ese lugar realmente contento. Me subí al Audi y me enfilé al departamento. Tenía sueño.

Aquella noche, me esperaba algo bueno. Una gran pelea, ustedes saben. Con un poco de suerte, un divorcio. Mi problema es que las fallas técnicas entre Midyet y yo proseguían. Yo no entendía un pito de lo que paroleaba ella. Y ahora, Midyet no comprendía un pito de lo que yo le decía. Mis insultos iban de "rompecatres" y "porfiriana", a "comejaibas" y "besamanteles". Midyet sólo atinaba a verme con la cara que pone un perro frente a un altavoz cuando le pones música. Insultar a Midyet o, para el caso, hablar con ella, era el equivalente a hacerlo con el fridge o la estufa. Creo que las conversaciones domésticas más interesantes que tuve fueron con el robot descompuesto. Añadan a esta situación un gramo de kipple y tendrán mi vida de casado.

Y no crean que era una situación cómoda. Imaginen por un momento que, por algún motivo irracional, tienen que vivir con alguien que no habla su misma lengua. Digamos, un checo. En el mejor de los casos, pueden dialogar, no sé, en inglés. Si ninguno (o uno de los dos) mastica el inglés, pueden comunicarse con señas —se puede decir lo mismo con la cabeza en Ramos Arizpe que en Praga— o incluso aprender la lengua del otro.

Midyet y yo estábamos totalmente bloqueados. En ocasiones, ni siquiera parecía verme. Yo comenzaba a hacerme invisible para ella. De lo que estoy seguro es de que ella jamás fue invisible para mí.

No que eso signifique algo más profundo, o sea una "analogía". También pueden optar por no creerme. No soy un veco muy fiable.

Lo único cierto (y esto me lo tienen que conceder), es que yo vivía con un vampiro. Dicen que los vampiros no entran en tu casa si tú no los invitas. Los vampitos no te meten el pito si tú no los invitas.

Algo similar sucedía con mi jefe. Él había invitado (y discúlpenme si prosigo con mi estúpida "analogía") a un vampiro a su compañía. El vampiro soy yo, claro. Y él la víctima. O pueden crearse una imagen mental de Mina Harker, si así lo prefieren.

Ahora que lo pienso, es mucho más agradable pensar en tu jefe como una cándida y coqueta ptitsa victoriana, ávida de experiencias sexuales. Con hambre de Vlaad.

Bien: me encontraba a Mina Harker en el pasillo y no me molestaba en mirarlo a los ojos. Si me llamaba, me seguía de frente. Si pedía por mí a través del interfón, colgaba el teléfono.

Si teníamos una reunión, me tardaba treinta, cuarenta minutos en llegar.

Supongo que es fácil perderle el respeto a tu jefe cuando lo ves como a Mina Harker. No creo que Coppola hubiera seleccionado a mi jefe para interpretar el papel de Mina Harker.

Somos la Generación Disfuncional. Estamos demasiado educados. ¿Alguien puede estar sobreeducado? Sí. Nosotros. Mi generación. Somos la Generación Sobreeducada. La Generación Sobreinformada. La Generación Sobrevalorada. Nos han dicho tanta mierda, nos han metido tantas mentiras a punta de diarios y revistas y radio y fido que, a fuerza de repetirse, nos las hemos creído.

Tomen, por ejemplo, al teletrabajo. Cuando salí de la universidad, imaginaba que en pocos años iba a trabajar en cualquier lugar del país, en un rancho mojado por el rocío de la mañana, rodeado de animales de granja y árboles y harta, harta clorofila. Yo juraba que mi esposa ordeñaría las vacas y recogería los huevos del gallinero mientras yo leía el *Wall Street Journal* desde mi Powerbook y orquestaba telejuntas en telesalas televirtuales y entregaba telerreportes escritos desde Rancho Feliz y charlaba con un sesudo Chairman of the Executive Office vía fibra óptica. Y sí, al mediodía estaría disfrazado como Ralph Lauren, disfrutando mis caballos y mis dogos, y vería a mis hijos crecer en un paradisiaco ambiente rural gracias al Mundo Sin Barreras, el Mundo Sin Muros, a la puta "aldea global" (vómito). En realidad, el teletrabajo es una de las grandes mentiras de los pendejos gurús informáticos. Las bombásticas corporaciones quieren tenerte ahí cerca, en su puño, exprimiéndote, dejándote sin vida. Cuando entras a la corporación, nadie te habla de tener una computadora en casa y entregar el trabajo por ISDN. No, te hablan de llegar temprano, te hablan de quince minutos de tolerancia, te hablan de cooperación, trabajo en equipo, superación y excelencia, de ponerse una corbata y hacerse pendejo frente a un escritorio ocho o más horas al día. Y allá tienen a todos los saltillenses trabajando en Ramos Arizpe, provocando gigantescos cuellos de botella en la highway 67. Millones de burócratas y burgueses de petate en sus coches de autofinanciamiento dándole trabajo al imbécil del helicóptero que todos los días, por el radio, dice la misma mierda: tal avenida está saturada, tal calzada está llena. El pendejóptero que todos los días habla por el radio es la parca, y su labor, guadaña en mano, es recordarte que no tendrás "tiempo de calidad" con tu esposa, tus hijos y tus amigos. Tus verdaderos acompañantes son el tablero del Ford Pinto, del Chrysler Neon, del GM Lumina, el veco chistín del programa de *prime-time* de las 18:00, el policía de crucero, el esmog, las partículas fecales.

La palabra "embotellamiento" es una invención de la modernidad.

La palabra "mediocre" es otra gran aportación de la era moderna. Medio ocre.

Y en el departamento: verle la jeta a un simio de zoológico. A una Midyet de circo.

Todo estalló en casa del cenador, mientras, ji, cenábamos.

Pueden imaginarme, ochenta y tres minutos después de iniciado el convite, con un agudo dolor en las costillas, revolcándome por la acera de fraccionamiento Bosque Encantado. Podía jurar que el golpe de Primo Perfecto me había astillado una costilla, y que la astilla me estaba perforando el pulmón. Uno de los vecinos, al escuchar mis alaridos, no pensó que yo era un cheloveco en apuros, un pobre ciudadano golpeado y magullado (y con un pulmón perforado). El vecino del cenador, que curiosamente me recordaba a uno de mis vecinos, el buen Adolf Hister, alucinó que yo era un teporocho que, por alguna espantosa bofetada del destino, se había logrado colar en el exclusivo fraccionamiento Bosque Encantado. Eso me convertía en un veco *expendable*. Todo indica que él llamó a las fuerzas de seguridad, a los mismos gorilas que mataban a macanazos a los pobres perros callejeros que osaban adentrarse en Fraccionamiento Bosque Encantado Todo Es Maravilloso Aquí No Existe La Pobreza Ni Las Cosas Horribles.

Observen unas botas con casquillo de acero bajándose de un

Ford Sable. Giren la mirada a la derecha y me verán, retorciéndome en el piso.

Ponerse de pie, ahora.

¡Firmes!

"¿El sobrino del senador? Imposible."

Eso fue lo que paroleó el gorila cuando le dije que yo no era a quien debían arrestar, sino al salvaje superhombre nitzscheano que, en el nombre de las buenas costumbres y el Tecnológico, me había tolchocado.

No me creyeron.

Les mostré mi auto. No soy ningún teporocho, dije.

Tampoco me creyeron.

Saqué mi llavero del MoMA. Eso debía bastar.

El gorila dijo: "¡Se robó un coche!"

Media hora antes, cenábamos en la mesa del cenador, y éste contaba una historia de su abuela. Lo acompañábamos Pixie, Midyet, Primo Perfecto, Esposo Chistoso, Esposa de Esposo Chistoso y yo.

"Pani era muy católica", paroleaba el cenador. Pani había sido la abuela del cenador. "Pertenecía a la Vela Perpetua. Hace unos años, antes de que yo naciera, se turnaba, junto con la gente de la asociación a la que estaba afiliada, para cuidar la imagen de una virgen, la Virgen Dealgo."

Podía escuchar, mientras el cenador relataba su cuento, el rataplán de los cascos de un caballo. Y luego vi a una mujer anciana cargando una cajita. Vestía un chal oscuro y chancletas. Acariciaba la caja.

"Se la quedaba en casa una semana", decía el cenador, "la subía a un altar que ya le tenía preparado y le ponía veladoras y flores y le rezaba. Después, comenzaron a turnarse un Niñopa Dios. Era una figurita hecha de quiensabequé y tenía su vestidito y su carita sonrosada. Le ponía un altar y todos los mismos chunches, y así se la pasaba una semana. Luego, cuando el Niñopa Dios pasó de moda, comenzaron a turnarse una caja de sándalo".

De ahí mi visión, claro.

"Adentro de ésta había una lengua."

¿Una lenguaaaaaa tío cenador corruptooooooo?

"Sí, una lengua. Era la lengua incorrupta de san Cancrillo. Este santo predicaba en el pueblo de Torreón, y dicen que decía La Verdad. El Gomierdo Revolucionario lo persiguió y le cortó la lengua, y la exhibió en el Palacio Municipal. San Cancrillo murió, pero no porque le arrancaran el parlanchín órgano, sino porque pescó una grave pulmonía mientras dormía en la calle. Ya saben, las heladas invernales en Torreón. Los fieles recuperaron la lengua, y se percataron de que no se pudría. O sea, no se echaba a perder; seguía igual de rosita y calientita, para acabar pronto. No sé cómo, pero llegó hasta la Vela Perpetua y durante varios meses fue el objeto de adoración que se turnaban abuelita y sus amigas."

Yo me burlé del cuento. Midyet apretó, en este orden, mi mano izquierda, uno de mis muslos y mi testículo herniado. Pero eso no me detuvo, y solté un montón de palabras venenosas: dije que era una superstición, una supercheria de lo peor, una actitud primitiva, un asco de subdesarrollo, una carcasa de podredumbre e ignorancia.

El cenador, visiblemente consternado, trató de cambiar de tema. Aquel gesto fue, en efecto, muy amable y considerado de su parte, teniendo en cuenta que yo lo había insultado en su casa.

Con voz quebradiza, preguntó: "¿Cómo van las cosas en su matrimonio?"

Midyet quiso decir algo en midyetés, pero yo la detuve:

"Como es de esperarse, amado suegro, nuestra relación ha empeorado. No vamos a divorciarnos (aunque ganas no me faltan, debo comentarle), pero la cosa va mal. Cuando dejas tu núcleo familiar y te vas a vivir con alguien piensas que se coge a diario y que vas a organizar las peores pedas del mundo ahora que no tienes que verle la jeta a tus progenitores. Nada es más falso. Pero eso usted ya lo sabe, cenador. Hay muchas cosas en esta vida que tienden a hacerse rutinarias. Una de ellas es la comida, la otra es el sexo. Pero eso, querido suegro, usted ya lo sabe también. Curiosamente, no me pasa lo mismo con los videojuegos, ni cuando duermo. Podría llevar a cabo ambas actividades todo el día y, si me pagaran, sería feliz. De hecho, es lo que hago en casa, pero no me pagan por eso. Llego tan tarde que Midyet ya está echada en la cama o perdida en el fido o fornicando ay ay con Hank."

Todos en la mesa me miraban absortos. Sorbí un poco de tintorro, y proseguí:

"Hank es el individuo imaginario con quien Midyet me engaña. Nunca he ido a una terapia, pero leí por ahí, en alguna revista, que es bueno ponerle nombre o, si así lo prefiere usted, un *rostro* a aquellas pequeñas mierdas que nos carcomen en vida. En fin, como le decía, yo me pongo a jugar videojuegos. Ya sabe, para sacarme de la gulivera el interminable tráfico —que deveras te deja estúpido—, me pongo a jugar. Y luego duermo. Sueño con un ambiente más húmedo, una atmósfera que no se puede respirar en esta provincia de mierda. En Saltillo. En Ramos Arizpe. ¿Cómo va mi, nuestro matrimonio, pregunta usted? Mal. Mi vida se limita a pasarla en el tráfico, encerrado en una oficina de vidrio y frente a un monitor con una consola de PlayStation enchufada. En casa, no comprendo lo que dice mi esposa y ella no entiende una palabra que sale de mi boca. Lo que hago a los veintisiete años sigue careciendo de interés: comer, dormir, cagar."

I'm Forever Blowing Bubbles.

Luego lo llamé "zurrón" y "mantecoso" y "derechista taimado". Y a Primo Perfecto "maricón enclosetado". Y a Esposo Chistoso "forma de vida inferior".

Me pareció ver a Pixie sonreír.

Lo que siguió fue Esposo Chistoso sujetándome por la espalda y Primo Perfecto dándome una tunda con sus puños de estrellita del equipo universitario de lacrosse. Y sus pies, enfundados en unos brillantes Nike Shox, me patearon hasta la calle, en donde me aventaron, ensangrentado y magullado.

Por si se lo preguntan, salí del asunto de los gorilas de seguridad sobornándolos con seiscientos dólares.

Lo del pulmón perforado fue una exageración.

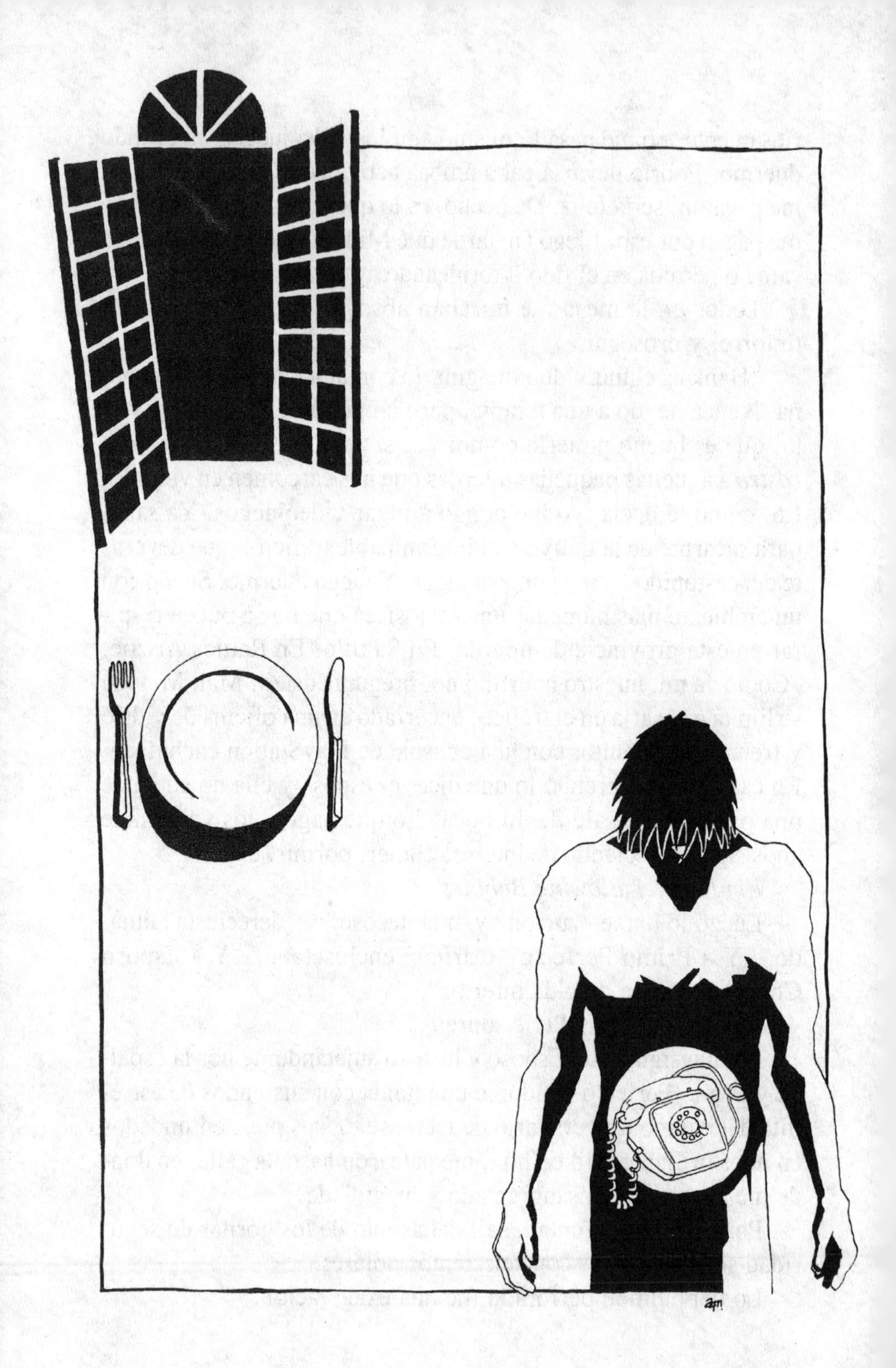

NUEVE

Un mal día, Pixie desapareció. *Maiden Voyage.*

Esto quiere decir que se esfumó. Ésa es la única explicación lógica. De un día para otro, Pixie dejó de llamarme y escribirme. Yo tampoco la encontraba y mis e-mails regresaban con la leyenda:

NO USER WITH THIS NAME

Sí, le hablé a su departamento de cagada. Nadie respondía. Fui a buscarla ahí, al Deep Ellum, y aunque un ruquete me dejó entrar al edificio, la puerta estaba cerrada. Me traté de asomar por una ventana, pero el hollín no me dejó ver nada. Le grité, le aventé piedras. Le arrojé un recado amarrado a una maceta de plástico al balcón, pero los días pasaron y no supe nada de ella. En el multiplex, nadie parecía conocerla. Es curioso, pero yo jamás conocí a alguno de sus amigos. Bueh, en realidad Pixie no tenía amigos. Sólo yo. Nadie en la taquilla y las dulcerías y la cafetería y el cuarto de proyección la tenía en mente. La gerente del cinematógrafo no parecía recordar su nombre. Poseía sólo un recuerdo vago, un *imprinting* de una lepa flaca y de pelos cortos, pero nada más.

Maiden Voyage.

En casa, era imposible buscar pistas de Pixie. Alguna vez intenté hablar del asunto con Midyet, pero sólo recibí a cambio "HKHBKJHJ" y "&%$&GGGgujn" y otros gruñidos ininteligibles. Hice guardia afuera de su departamento por noches enteras, lo que me causó problemas con la gerente del supermercado. Sometí búsquedas en Google.com esperanzado de encontrar una nueva cuenta de e-mail o alguna referencia que me llevara a ella. Resultados:

> **PiXie** Technologies, Inc.
> **...** Welcome to the **PiXie** Technologies, Inc. corporate page. From here, you're just a quick click away from the companies, people, and products that make **PiXie**
> **...**
>
> www.**pixie**.com
> **PIXIE** Home Page
> This document is best viewed with Netscape Navigator 2.0 or later. Take this link to the non-frames **PIXIE** home page.
>
> **pixie**.spasci.com
> The Pouting **Pixie** MUSH Home Page
> **...** The Cast and Crew of the Pouting **Pixie ...** Rita - The **Pixie** who started it all. The Helpful Helpstaff (The guys who keep the wizards in line.). **...**
> www.pp.godlike.com

Piensen en toda la gente que se encuentra casualmente. Piensen en todos esos encuentros fortuitos. Piensen en esos sábados de pants y gorra y anteojos oscuros en el mol cuando, de repente, de la oscuridad, surge un rostro conocido, una cara de tu pasado. Piensen en la cola del cinematógrafo o del banco, en el lugar en el que revelas tus fotografías o, por el contrario, en un café que nunca frecuentas, en un bar o tren que los recibe por primera vez, y recordarán haber visto a un viejo amigo, a una ex novia.

Esto es curioso: un día, mientras esperaba que la Sra. de Wong me entregara mis camisas en la tintorería —labor para la que Midyet ni el robot estaban capacitados—, entró un veco de baja estatura, gafas rojizas y playera de Mole Doña María.

"¿Pantoliano?", pregunté, azorado.

Pantoliano era un batuchka de la universidad. Hablamos de lo que hablan los vecos que no se han visto en años: qué haces, cómo te va, a quién has visto. Durante minuto y medio muestras una docena de complejos de inferioridad y le haces ver a Amigo Desaparecido que estás mejor que nunca, que nadas en una piscina de dinero y que tu futuro es promisorio. Cuando lo veías, ambos eran un par de idiotassinporvenir, pero desde que no se frecuentan les ha ido de pocamadre. Es decir, "me va mejor desde que no ocupas un lugar en mi vida".

Ése es el mensaje implícito.

Y siempre terminas con la frase "nos hablamos" o "a ver cuándo nos vemos". Y nunca te reúnes con él, por supuesto.

Es más, ni siquiera se piden los teléfonos.

Me topé con Pantoliano en lo de Wong cuando Pixie andaba desaparecida. Al otro día, en una junta de presupuestos, yo me moría de la hueva porque mi jefe no llegaba. "Tiene una llamada importante", avisó la golfa que tiene por asistente, "pero en un segundo está con ustedes". Mientras aguardábamos al gran zopenco, me puse a charlar, cosa rara (la cosa más xodidamente rara del universo) con Gurlia, la ptitsa horrenda que coordina el departamento de publicidad. Ya saben, de esas cosas que jamás haces, pero justamente *ese día* algún mosco te ha picado y te pones a hacerlo.

Enmedio de seiscientas trivialidades que paroleamos, resultó que Gurlia estaba casada con un veco que era primo de un batuchka *graciosísimo* de la U. Bayona. Es chaparro y usa gafas rojizas.

En efecto, Pantoliano.

Ahora piensen un poco en mí, pónganse un segundo en mis zapatos. No podía encontrar por ningún lado a la ptitsa de mi vida —ya llevaba más de un mes en esa situación—, y en menos de veinticuatro horas había tenido dos encuentros —uno más cercano que otro— con un veco que había salido de mi vida cuatro años atrás.

Tres días después, mi asistente me pasó una misteriosa llamada. Emocionado, le pedí a Dios que fuera Pixie Pixel, retirándome al fin el asqueroso ayuno de su ausencia. Para mi perra suerte, resultó ser la Nena Rowland, quien a la sazón era la típica pendejita organizadora de cagada y media de la generación, una rubia tetona de padres católicos y romanos. La pezonuda estaba armando una detestable reunión de ex alumnos.

Traté de decirle que no me interesaba, pero ella se adelantó y mencionó, en este orden y cual merolica, a) el hotel en el que pensaban rentar el salón, b) lo increíblemente difícil que había sido hallar a la generación y, c) la posibilidad de que yo contactara a Pantoliano.

"¿Dijiste Pantoliano?"

Claro. Te juntas un par de semestres con un vividor y automáticamente te relacionan con él. Cantan juntos *Sweet Child O' Mine* en el karaoke del campus y todos tus compañeros de generación creen que son Hermanos de Sangre.

Tres referencias en noventa y seis horas. Tres referencias de un veco del cual ya ni te acordabas. Por mi mente podía pasar, no sé, la cara del inventor del trapeador cuya biografía estudié en el último año del *high school*, pero no la de Pantoliano, no, caraxo. Tres veces se había parado en mi vida en menos de una semana.

Y Pixie: cero.

Maiden Voyage.

Una vez más, estaba solo. Solo sólo tienes que soportarte a ti mismo. Sólo solo te conviertes en tu propio dios. Yo era un fantasma. Era el Fantasma Infeliz.

Pasaron las semanas. Nada de Pixie. Ni un signo de vida. La calle solía estar repleta de bribones y, repentinamente, me vi acompañado sólo por aire y nada más que aire. El silencio era sepulcral. Podía gritar "ahhh" y brincotear sobre el cemento y nadie diría nada porque no había nadie. Podía tocar el timbre ding dong de la casa del cenador y no pasaría nada porque nadie acudiría a la puerta. Podía forzar la reja del departamento de mierda de Pixie y nadie me diría nada porque no había nadie. Podía meterme. Podía escuchar mis suelas rechinar en el viejo parquet. Podía hurgar en la alacena y los clósets de Pixie y masturbarme con sus calzones. Podía manejar mi Audi, lejos de ahí, rápido run run, y pasarme las luces rojas y detenerme y poner un CD a todo volumen y tocar el claxon durante horas y horas. No había nadie. Los árboles permanecían plácidamente en su lugar. No había perros callejeros ni niños en patinetas para aplastarles el cráneo y luego robarles sus dulces. Las tiendas estaban cerradas y los autos durmiendo en sus garages. No había limosneros. Ni niños. Ni adultos. Ni un ruido. Solamente el poderoso motor de mi Audi bramando por Ramos Arizpe y Saltillo. "No hay tráfico", pensé. "Cuántas veces quise que estuviéramos en un día soleado y sin tráfico." Podía dirigirme al Melrose Place y allanar todos los departamentos de mis vecinos, leer las estúpidas cartas de amor de Mary Lee y las recetas médicas de Hister y descubrir los dildos escondidos y las benzodiacepinas encajonadas y las botellas de licor guardadas lejos de los lepes. Podía meterme a mi propio departamento y recostarme en mi recámara y defecar en la cocina y sentarme a ver el fido, pero los canales estaban muertos. La radio, muerta. La web, un panteón de páginas guardadas en la caché de algún servidor. Nada de Pifas. Nada de Midyet. Nada de Pixie. Podía manejar a las iglesias en donde los parroquianos exprimen sus carnes y rasgan sus vestiduras, pero estaban cerradas. "Si el hombre ha muerto todo está permitido", pensé. Podía romper espejos, robar bancos, meterme a los centros comerciales y atracar los refrigeradores y prender todos los fidos del departamento de electrónica y rasgar con una navaja todos los colchones del departamento de blancos. Podía encender todas las máquinas y rellenar un tocadiscos con cincuenta CDs y bailar y emborracharme en las cavas del departamento de delicatessen. Pero el silencio regresaba, siempre regresaba. Podía ir a donde estaban los animales encerrados, pero no encontraría nada. Nada. La noche y el día. El día y la noche. Era redundante saber que estaba solo. Y cuando estás solo sólo piensas cuánto quisieras haber escogido las palabras correctas. Podía viajar por todos los pueblos de la provincia y revisar todas sus casas y todos sus templos y todos sus mols y no encontrar nada más preciso que el silencio. Noche y día. Semanas y meses. Regresar, exhausto, al lugar de partida. Esperar, a través de los años, de los largos días vacíos, sentado enmedio de la penumbra y el eco, que en algún lugar algún teléfono sonara.

DIEZ

Un buen día, todas las cosas regresaron a su lugar. Las personas, el ruido, el tipo de cambio, los acordes de Emmet Ray.

Domingo: apagué el fido y me dirigí a la recámara. Tranquilamente, tomé algo de ropa y algunos artículos esenciales, como mi PlayStation, mi cámara fotográfica y ciertos discos que ya había marcado con una equis de Esterbrook. En la cabeza traía "*Drown*" de los Smashing Pumpkins. Llamé a Pifas, y el loco corrió por el departamento tan grande y resbaloso como *rink* de hockey y se paró junto a mí. Caminé al comedor, en el cual Midyet, con trazas de Regan McNeil, se jalaba los pelos y vociferaba en inglés al revés con Hank. Midyet perdida en cerros de papeles y fax y laptops y *handhelds*. Me paré frente a ella y le dije, con mi mejor tono neutral (lo cual no siempre es contradictorio) que me iba, que ya no soportaba verle la cara y que, si tanto nos odiábamos, no era justo que viviéramos juntos. Aclaré que no tenía ninguna intención de quedarme con el departamento que la compañía me pagaba, y que por supuesto tenía mi consentimiento para quedarse con él y arreglarse con la casera.

Ella no dijo nada.

Solté mi gran maleta y le pedí a Pifas, francamente azorado (yo, no el perro), que aguardara un segundo. Me acerqué a Midyet y examiné su rostro, perdido en una diabólica hoja de cálculo, con los ojos vidriosos y una expresión de lujuria, de esa perversidad que sólo puede emanar del trabajo arduo y honesto. Varias veces agité mi mano derecha a unos centímetros de sus glasos, pero ella no parpadeó ni una sola vez. Grité un "¡ya me voy!" en su oreja izquierda, y encontré la misma reacción que tienes cuando conversas de las notables diferencias entre la obra de Cervantes y Quevedo con una estatua de piedra en la Alameda de Saltillo.

Satisfecho, me enfilé hacia la puerta. Con un silbido, Pifas corrió detrás de mí y sus orejas se agitaron como hojas de lechuga alborotadas. Subimos al Audi y, con una sonrisa, nos alejamos del Melrose Place.

Era un día hermoso.

Con un poco de suerte, todavía puedes encontrar días hermosos en Saltillo.

Manejé hacia el supermercado. Saludé a la gerente y tomé mi mandil. Cuarenta minutos después, mientras estibaba embalajes de jabones de P&G en un pasillo, pasó mi jefe. No la gerente, sino mi jefe, el Señor VP, Mina Harker, whatever.

"¿Qué haces aquí?", me preguntó.

¿Qué hago aquí? ¿Qué hago aquí? Pausadamente, le expliqué que me encontraba en el trabajo que me hacía atrozmente feliz, que me hacía sentirme pleno y productivo como ser humano.

El imbécil paroleó:

"¿Cómo lo haces? Estas investigaciones de campo son... fantásticas. Realmente te metes en el personaje. Tú y yo necesitamos hablar. Viene un aumento en ciernes, amigo. Tienes mi palabra."

Pueden imaginar el palmoteo en el lomo que significó "adiós" y el rataplán de los zapatos de Ferragamo de mi jefe alejándose por uno de los pasillos de perfumería. Quise decirle algo pero, curiosamente, mi estado espiritual de nuevo estaba estacionado en

atrás de *Drive* y ligeramente adelante de *Reverse*.

Desafortunadamente, algún corrosivo compañero de acomodo de cajas de microcorrugado escuchó aquello y le contó todo a mi gerente, quien rápidamente me despidió del supermercado. O sea, me forzó a firmar una carta de renuncia.

"Lo siento, pero es política de la empresa."

Pueden verme, sentado en el estacionamiento, con la mirada perdida en el logotipo de Audi que está en el volante, sosteniendo mi mandil. Canturreé "*Drown*".

La vida no siempre es justa, saben.

Pasé el resto del día en la oficina. Las luces estaban encendidas en varios pisos de la torre; seguramente cientos de esclavos desperdiciando un buen domingo que podrían pasar con sus padres o sus amigos o sus esposas en un proyecto que sería rechazado por un subnormal amargado como yo.

El lunes, de shorts y playera, y con un aliento de cerdo recién sacrificado, me vi sentado en mi amplio escritorio importado. Ocho de la mañana con treinta minutos. Jackie abrió la puerta, vistiendo una sonrisa, y me preguntó si quería un café o algo. O algo.

"No lo sé", respondí con la mirada perdida en el icono de la nueva aplicación de Microsoft que algún ingeniero en sistemas me había instalado durante la semana pasada.

Jackie, quien aparentemente se había levantado con una dosis extra de paciencia, se paró a mi lado y volvió a preguntarme si *en realidad* no quería un café. Me dijo que me sentaría bien. Y yo continuaba sin quitarle la vista al icono de la nueva aplicación de Microsoft que relucía de limpio en el *desktop* de mi computadora. Un hilito de saliva caía por mi barbilla y hacía una pequeña piscina en la playera. Jackie, visiblemente consternada, insistió con el asunto del café.

"No lo sé", repetí y, finalmente, le dirigí la mirada. "Ésa es la respuesta que doy a muchas de las preguntas que me hacen y me hago últimamente. Es como andar dándole vueltas a lo mismo una y otra vez. ¿Te ha pasado, Jackie?"

"No", respondió ella.

“Me preguntan algo y milagrosamente surge el ‘no lo sé’. Toma por ejemplo este icono nuevecito que está desplegado en mi *desktop*”, señalé la computadora. “Seguramente esta aplicación de Microsoft hará mi vida y mi trabajo más productivos. Nuevos *plug-ins*. Nuevos comandos. Nuevas posibilidades para trabajar en red. ¿Deberé usarla? No lo sé. ¿Haré doble clic en el icono? No lo sé. ¿Mejorará o empeorará mi karma si empleo este software? No lo sé.”

Con una sonrisa de fastidio, Jackie abandonó la oficina.

Slam!

Ése es el sonido de la puerta azotándose. En realidad, es una onomatopeya. Y también un anglicismo, aunque esto último se puede discutir más a fondo.

Riiiiiiing!

Ése es el sonido de uno de mis dos teléfonos de escritorio marca Ericsson los cuales son capaces de hacer búsqueda de números, marcación, ruteo de llamadas y establecimiento de conversaciones tripartitas, ya sea en el auricular o el *speaker*.

¿Quién será?, pensé, y luego me dije: No lo sé.

Medio segundo más tarde, recordé que mis dos teléfonos de escritorio marca Ericsson poseen identificador de llamadas. Asomé los ojos a la pantalla de cristal líquido y leí

000015-088TFG

Ése no es un número telefónico. Es la clave que aparece cada vez que Jackie me llama. Y si Jackie me está marcando, pensé, es porque tengo una llamada. ¿Quién será?

No lo sé.

Clic. “Qué pasa, Jackie.”

“Tiene una llamada.”

Es Midyet, pensé. La Gran Perra Contraataca. Quiere todo. Va por la yugular.

“¿Quién es?”

“Una tal Pixie.”

(...)

Ya les había hablado de esos extraños momentos en los que te hierve la sangre. Bueno, al escuchar el nombre de Pixie me sentí en un momento cómico-mágico-musical. Le pedí a Jackie, no, le ordené, no, le rogué, me pasara la llamada.

Y ahí estaba, en todo su esplendor, la voz de Pixie, mi Pixie Pixel, mi musa, mi amante, mi amiga, mi Beatriz.

Ella quería verme. Tenía que verme. Su departamento. En el Deep Ellum. Ya.

Con shorts y playera y huaraches y pelos despeinados, salí de la oficina y me paré frente al cubículo de Jackie.

"Voy a salir", avisé. "Voy a hacer un mandado."

¿No es la expresión más pendeja que han escuchado, "hacer un mandado"?

Corrí al Audi. Manejé por Ramos Arizpe hasta Saltillo. De mi mente había desaparecido la música de los Smashing Pumpkins. Sólo podía escuchar "*I'm Getting Sentimental Over You*" de Tommy Dorsey.

Estacionar el auto.

Tocar el timbre.

Subir las escaleras.

Tocar toc toc.

"¡Hola, hola!"

Entrar y sentarse. La muda Odish, presente.

"¿En dónde estabas?", pregunta obligada.

"Oh", réplica a la cortés réplica de Pixie.

Y ésta fue: "Arreglando unos asuntos."

A veces las explicaciones salen de sobra.

"¿Quieres algo de beber? ¿Algo de comer?"

"No lo sé", respuesta obligada.

Monclova, Coahuila: once semanas después de nuestro encuentro matutino en shorts y playera y huaraches, Pixie y yo bebíamos cerveza en el porche de una casita que habíamos rentado. Llevábamos ahí ya cuatro días y nos alimentábamos con tortillas de harina, frijoles y fruta que habíamos comprado en un Soriana que está cerca del bulevar Pape (bueno, en Monclova todo está cerca del bulevar Pape). Tomábamos cerveza y escuchábamos, en una vieja grabadora Sony con CD y radio AM/FM, a Tommy Dorsey, Glenn Miller, Benny Goodman, John Coltrane, Louis Armstrong, Cal Tjader, Horace Silver, Miles Davis, Billie Holiday, Ella Fitzgerald, Stan Getz, Django Reinhardt, Chick Corea, Herbie Hancock, Cannonball Adderley, Dave Brubeck y, por supuesto, Emmet Ray.

I'm Forever Blowing Bubbles.

Quizá es que habíamos visto demasiadas películas de Woody Allen. O que en realidad sí la pasábamos bien juntos.

Pixie y yo hacíamos el amor los jueves. "Te haría el amor todos los jueves", le dije aquel día en que, sin pensarlo más, le declaré mis sucias intenciones. Esto no quiere decir que todo haya sido sencillo, no. Pueden imaginarme, sentado en la roída mesa del departamento del Deep Ellum, después de devorar unos huevos con salchicha y salsa catsup Heinz, tomando la mano de Pixie y declarándole mi amor sincero e incondicional. Y también pueden imaginar mi rostro cuando ella respondió, después de un largo y tortuoso silencio:

"Cuki, nunca me has gustado."

Plop. Ésa es otra onomatopeya. Pero nunca la he visto en cómics gringos, sino en *Condorito.*

"No me gustan los morenos", fue su segunda declaración.

De inmediato le pregunté si pertenecía a alguna asociación ultradiscriminadora, como el Klu Kux-Klan. O Provida.

"No, no es una cuestión de racismo", dijo, a lo que añadió: "Piensa en manzanas. A algunos les gustan las rojas, y a otros las amarillas."

Estás ahí, con tu corazón al desnudo, y tienes que escuchar una estúpida analogía.

"¿Y a ti cuáles te gustan?"

Pixie había prendido un cigarro. Después de soltar el humo, respondió:

“Ningunas. No como manzana.”

Once semanas después, Pixie y yo, sentados en el porche, descalzos, escuchábamos música y bebíamos cerveza, y admirábamos el desierto que se extendía frente a nosotros.

No era precisamente un té en el Sahara, pero se aproximaba lo suficiente.

Pixie y yo llevábamos once semanas viviendo juntos. Bien, no le gustaban las manzanas —y a algunos les agradan más las rojas que las amarillas, eso me quedaba muy claro—, pero yo bien podía ser una pera o una guayaba o, dados mis antecedentes, una tuna. Supongo que ese argumento terminó por convencerla y, ese mismo día, nos dimos nuestro primer beso. Y también cogimos por primera vez.

Digo “coger” porque aquello fue uno de esos “cojines de perro”. Ni más ni menos romántico.

Metí mi gran maleta. Pifas encontró un lugar cálido y de inmediato se cagó. Ésas fueron mis encantadoras adiciones al departamento de Deep Ellum. No me preocupé por conseguir otro futón japonés ni un minihorno que tocara archivos MP3. Teníamos un perro, un fridge que hacía hielos, fido con DTH, conexión a Internet, un PlayStation, un tocadiscos. ¿Qué más necesitas?

Acompañaba a Pixie al supermercado a la medianoche y la veía echar en el carrito vitaminas en forma de gusano feliz, abrillantador de hojas y bolsas de tierra. Ya les había dicho que ella se dedicaba a cuidar las plantas de su departamento. Algunas crecían sanas, otras no. La mayoría vivía feliz y unas cuantas morían. Pixie igual las cuidaba a todas.

Tuvo esta bolsa de tierra bajo el fregadero durante un par de semanas. ¿Por qué ahí? Echémosle la culpa al trabajo o a los compromisos o a la hueva de moverla a otro puto lugar. Lo importante es que aquella bolsa serviría para cambiarle la tierra a una de sus plantas. Cuando llegó el momento, un sábado en la mañana, Pixie la abrió y soltó un grito. Corrí a alcanzarla al patio. Con su tiznado dedo señaló la bolsa: en su interior crecía una pequeña ramita verde con dos delgadas hojas en los costados. Nos quedamos un buen rato viendo a la cabrona ramita, la cabrona ramita que había nacido y crecido adentro de esa bolsa debajo de un fregadero, sin luz y sin agua, y que sola se las había arreglado para hallar la vida y abrirse paso, sin ayuda de nadie.

Toda esa última mierda viene al caso, en serio. Ese mismo día le pedí a Pixie que pasáramos una temporada en Monclova. Ella y yo solos en Monclova. Un buen viaje en tren por uno de los lugares más extraños de América. Si llego a ser vicepresidente de la compañía antes de los treinta voy a fomentar paquetes turísticos a Monclova.

Simon y Garfunkel: "*America.*"

Pixie viste jeans y está descalza. Acaba de llegar con una nueva cerveza. Tecate. Toma asiento junto a mí, en el porche. Pifas duerme adentro de la casa. Hoy, lunes o martes, esperamos ver un correcaminos, o una lagartija haciendo lagartijas bajo el sol quemante de Coahuila. Yo pienso en aquella aparición bíblica, la que me dijo que me casaría y luego tendría un hijo y le nombraría Israel. Sigo creyendo que el matrimonio es un gran pedazo de cagada. Lo verdaderamente importante es que Pixie y yo nos acabamos de enterar de que vamos a tener un lepe y lo llamaremos Israel.

Bien: estoy embarazado.

Pero no se sorprendan. ¿Sabían que los machos de los caballitos de mar guardan dentro de sí los huevecillos fertilizados que ha puesto la hembra y, cual gallinas, los "empollan"? Además, cosas más extrañas suelen pasar. ¿Sabían que alguna vez existió un estado independiente de México llamado "Coahuila y Texas", el cual abarcaba, uh, parte del sur de Texas y Coahuila? ¿Sabían que en 1827 se redactó, en inglés, su constitución política y que el gentilicio de sus habitantes era "coahuiltexanos"? ¿Sabían que algunos historiadores con graves problemas de masturbación mental aseguran que, durante un tiempo, la hoy desierta ciudad de Monclova fue su capital?

Las cosas suelen darse de una manera extraña y misteriosa. ¿Por qué? De nuevo, no lo sé. Pixie y yo nos amamos. Eso es lo único que cuenta hoy, mientras miramos el antiguo desierto de Coahuila y Texas.

Nadie puede saber mi enorme gozo y felicidad.

Atizapán, Estado de México,
agosto de 2000-marzo de 2001

AGRADECIMIENTOS

Este libro se escribió en una preciosa Apple *iBook* que apodo *Ono-Sendai*, pero no podría haber visto la luz sin la fe y las ganas de un montón de personas. Trataré de no ponerme sentimental (soy un hombre interesado en tecnicismos, pero no es *esos* tecnicismos).

Antes que a nadie, a Rafael *Pirata* Cortés, antiguo compañero de la prepa a quien nunca saludé en la prepa (cosas más extrañas han pasado) y que, varios años después, terminó apretando el botón que desencadenó la publicación de *Pixie en los suburbios*.

Por supuesto, a mis agentes, las Chicas Superpoderosas-Meigas: Sonia, Ruth, La Flaca. Nada de esto hubiera pasado sin ellas. Un brindis por aquel día en el Burger King de Santa Fe en el que se me ocurrió mencionar *«un librito en el que estoy trabajando»*.

A Andrés Ramírez ("perdido melómano"), Patricia Mazón, Jesús Anaya y a ese tipazo que es más de lo que cuentan de él, René Solís, todos de Editorial Planeta, quienes sin haberme visto una sola vez en su vida le dieron luz verde al proyecto. Similarmente, a Juan Villoro y Alberto Fuguet, otro par de *heavyweights* que hablaron bien de mí sin conocerme. A Rubén Álvarez de Elfoco.com, a Mariel por muchas buenas conversaciones por el e-mail, a Phil K. Dick por el kipple, a Anthony Burgess por el lingo, a Philip Jose Farmer por el fido, a Douglas Copland por el mcjob. Al excelso Abraham *Perro Triste* Morales por acceder a realizar las ilustraciones. A Sol Aguirre, mi amiga y coeditora en *Quo,* por darme esperanzas de que lo que estaba escribiendo valía la pena (ya sabes que eres como mi talismán de la buena suerte). A Mary Lee, por haber visto esto hace muchos años en una botella de Absolut (aunque no lo creas).

A mi adorada Loris, por estar ahí.

A mi familia en el Estado de México y Coahuila, por soportarme.

A Ganesha, por remover los obstáculos.

Ruy Xoconostle Waye,
junio de 2001

ÍNDICE

Pixie en los suburbios
se imprimió en los talleres de
Editores Impresores Fernández S.A. de C.V.
Retorno 7 de Sur 20 núm. 23-F
Colonia Agrícola Oriental
México, D.F.

Impreso y hecho en México
Printed and made in Mexico